ちくま学芸文庫

英語の発想

安西徹雄

筑摩書房

目次

英語の発想——翻訳の現場から

はしがき

例えばここに、こんな英文があったとする。これを日本語に翻訳しなければならないとして、読者ならいったいどうお訳しになるだろうか。

Sparse hair or, worse still, baldness makes impossible the natural wish of men and women to be just like other people. The mere fact of looking so different causes disdain, suspicion and ridicule.

もしこれを、あくまで英文解釈の公式どおり忠実に「直訳」したとすれば、まずこんなことになるのではあるまいか。

「薄い髪、あるいは、さらに悪いことに禿《はげ》は、男と女の他の人々とちょうど同じでありたいという自然な願望を不可能にする。そんなにちがって見えるという単なる事実が、軽蔑、疑惑、そして嘲笑を生む」

けれどもこれを「意訳」すれば——つまり、英文解釈の公式に忠実なのではなく、日本語の自然な発想に忠実に訳すとすれば、例えばこんな文章になるだろうか。

「人間なら誰しも、人と同じようでありたいと願うのは自然なことだ。ところが髪が薄かったり、もっと始末が悪いことにまるきり禿《は》げていたりでは、こうした願いも空《むな》しいものになってしまう。ただ外見がちがっているというだけで、人から馬鹿にされたり、怪しまれたり、嘲笑されたりしてしまうのである」

この「直訳」から「意訳」へ、転換のポイントはいったいどこにあるのだろうか。どこをどういじればこの転換が出てくるのか。単に個々の単語の処理、あるいは技術的な言葉のあやといったこと以上に、ここにはなにか基本的な構文の転換や、さらにはその背後に、根本的な発想の転換が必要なのではないのだろうか。だとすれば、それはそもそも、具体的にはどういう作業であるのだろうか。

「直訳」から「意訳」へ、日本語としてなんとか自然な表現を探り当てようと、あれこれ訳文をひねり回しているうちに、どうやらポイントは、名詞の扱い方にあるのではなかろうかと気がついてくる。つまり英文では、'sparse hair' とか 'baldness' とか、あるいは 'disdain' とか 'suspicion' とか、ただ名詞として投げ出してあるだけのところを、日本語でもそのままただ名詞に訳したのでは、どうもしっくり落ちついてこない。「髪が薄い」とか「頭が禿げている」とか、「人から馬鹿にされる」、あるいは「人に怪しまれる」など、文章の形に読みほどいてやると、突破口が開けてくるらしいのである。

くわしい説明はもちろん本文にゆずらなければならないが、こういう具体的な翻訳の作業を分析してゆくと、英語はどうも名詞中心であるのにたいして、日本語は動詞中心なのではないかという対照が浮かびあがってくる。この点をさらに押してゆけば、結局、英語流のものの捉え方は客体的な〈もの〉を焦点に組み立ててゆくのにたいして、日本語はある状態なり出来事なりを、もっと情況に即して、全体的、直観的に、つまり〈こと〉としてすくい取ろうとするらしいという、発想の根本的な型のちがいにまで突きあたってくるように思えるのである。

最近、「対照言語学」という学問の分野がしきりと注目を集めているようだ。例えば日本語と英語とを比較対照して、個々の単語や語句の意味構造はもちろん、慣用句や文法、表現の基本的なパターンや発想のちがいまで探り出し、ひいてはそれぞれの国民のものの感じ方、考え方の根本的な性格にまで迫ろうとする研究である。

ある面からすれば、これはいわゆる比較文化論の一種と見ることができるかもしれない。具体的な言葉の対比を手がかりに、結局は文化全体の比較にまで進もうとするわけである。もしも言葉というものが、よくいわれるとおり、われわれのものの感じ方、認識のパターンそのものまで深く規定するものであるなら、あくまで言葉の対比を通じて文化の比較に至ろうとするこの方法は、比較文化論のアプローチとして、大きな可能性をはらんだ方法といえるかもしれない。

本書の狙いとしているのも、実は、何かしらこうしたアプローチから、日本語の発想、英語の発想を具体的に対比してみようという点にある。

しかし、急いで付け加えなければならないけれども、私は別に言語学を専門に研究している者でもなければ、比較文化を特に専攻しているというわけでもない。純粋に学問的な知見を踏まえて、真向うから対照言語学に切りこむ資格は、だから、正直なところ、まるでない。私に多少でも用意があるとすれば、英語から日本語へ、無論ささやかなものではあるけれども、ある程度は実地の翻訳の経験をつんできたという以外にはない。

しかし考えてみれば翻訳とは、二つの言語のあいだのギャップを、ある意味では、いちばんのっぴきならない形で乗り越える作業であって、だから、例えば冒頭の例でもごく簡単に見たとおり、この翻訳という手続きのあいだにいったい何が起こっているのかつぶさに点検してゆけば、英語と日本語それぞれの発想のちがいというものが、意外に鮮明に浮かびあがってくるかもしれない。

そこで、本書の狙いをもう少し正確にいいなおせば、ほぼこんなことになるだろうか。つまり本書は、あくまでも翻訳の現場からという立場に立って、具体的に翻訳のプロセスを点検し、そこでどんな転換が必要となるかを見ることによって、できればそこから対照言語学的に、日本語と英語の発想の対比を引き出してくることを狙いとしている。だから逆にいえば本書はむしろ、発想の転換という点を中心にした一種の翻訳読本としても読んでいただけるかもしれない。

第一章　実例の研究＝二題

1—『ソロモンの指環』

英文解釈流の直訳

あくまでも翻訳の現場から出発しようという以上、やはりまず実例をいくつかくわしく検討して、そこから問題点を探り出すということにしたいと思う。最初はオーストリアの動物学者コンラート・ローレンツの、『ソロモンの指環』というエッセイ集の一節である。（ちなみにこの題名についてちょっと説明を加えておくと、ユダヤ教の伝説によれば、賢者として名高いソロモン王の指環には不思議な宝石がはまっていて、知りたいと思うことを問いかければ何でも答えてくれたという。ローレンツのこの本は、いわば動物行動学という「ソロモンの指環」に問いかけ、動物たちの語る言葉を人間に報告するといったエッセイ集であるわけだ）

In the study of the behaviour of the higher animals, very funny situations are apt to arise, but it is inevitably the observer, and not the animal, that plays the comical part. (Konrad Lorenz, *King Solomon's Ring*, Eng. trans. M. K. Wilson.)

まずこれを、ともかく英文解釈流に直訳してみる。

「高等動物の行動の研究において、非常に滑稽《こっけい》な情況が起こりがちだが、しかし喜劇的な役を演じるのは、不可避的に観察者であって動物ではない」

日本語として、これで十分に自然な表現になっている、これ以上、もう手を入れる必要などどこにもない——もし読者がそうお考えになるのなら、これはもう何をかいわんやで、これ以上本書を書いてゆく理由もなくなるというものだが、多少でも日本語として熟しきらない表現が残っているとすれば、その不自然さがどこから生まれているのか、原文と照らし合わせながら検討してみなければならない。

study の扱い

まず冒頭——

In the study of the behaviour of the higher animals,...

この英語を改めてよく読みなおしてみると、'study' という名詞の中には、実は「研究する」という、動詞の観念がふくまれていることに気がつくのではあるまいか。そして、一度これを「研究する」と理解すれば、次の'of'以下は、この「研究する」の目的語に当たる内容を表わしていることにも気がついてくると思う。つまり、「高等動物の行動を」研究するのである。

だとすると、'In the study' という句としてはどう考えればいいのだろうか。「研究する」という動詞として理解すれば、これはつまり、「研究していると」という、副詞節に相当する表現だと考えることができそうである。

それなら、いったい誰が「研究する」というのか、この動詞の主語も考えてやらなければならないだろう。けれどもこの場合、別に特定の誰かをさしているのではなさそうだ。一般に「われわれが」と想定して差し支えないと思う。

こうして結局、'study' という名詞をただ名詞と捉えるのではなく、一度動詞に読みほどいてみると、冒頭の副詞句は——

When we study (*or* are studying) the behaviour of the higher animals,...

という、副詞節に相当するということが理解できる。そして、一度こう読みほどいた上で、これを改めて日本語に訳してみると——

「われわれが高等動物の行動を研究していると……」

といった訳が出てくる。

けれども、この訳文をもう一度読みなおしてみると、「われわれ」という主語を強《し》いて表に出す必要はなさそうだ。そこで結局——

「高等動物の行動を研究していると……」

訳文をいじくり回すのは一応これくらいにしておいて、さてこれを最初に挙げた「直訳」と比較してみていただきたい。

「高等動物の行動の研究において……」

はたしてどちらが日本語としてより自然か、少なくとも、どちらが一読してスラスラ頭に入ってくるか、改めて指摘するまでもあるまいと思う。

語りかけの表現

「直訳」から「意訳」へ、転換のポイントはこの一句の場合、名詞を動詞に読みほどくという点にあったわけだが、次の一句の場合はどうなるだろうか。

…very funny situations are apt to arise…

「非常に滑稽な情況が起こりがちだが……」

これはこれで、どこにも問題はないように見える。そして確かに、この一句だけに限ってみれば、何も問題はないともいえるのだけれども、しかし前の句とつなぎ合わせて考えてみると、検討してみるべき点がまったくないわけでもない。

前の一句では、結局表には出さなかったけれども、「われわれが研究している」と、研究する主体として人間を主語に想定してみた。このアイディアを、今のこの 'very funny situations...' という部分にもそのまま流用することはできないだろうか。つまり、原文は「情況」を主語にした書き方になっているけれども、この同じ内容を「われわれ」を主語にして捉えなおし、例えば——

We often come across very funny situations.

と書いてあるかのように理解してみるのである。その上で訳してみると——

「われわれは非常に滑稽な情況によく出くわすが……」

しかし例によって「われわれ」は省略すると、結局——

「非常に滑稽な情況によく出くわすが……」

さて前の一句から引きつづけて、直訳と意訳とをくらべてみると——

（直訳）「高等動物の行動の研究において、非常に滑稽な情況が起こりがちだが……」

（意訳）「高等動物の行動を研究していると、非常に滑稽な情況によく出くわすが……」

どうも私の感じとしては、後者のほうが、やはり日本語としてしっくりくるように思えるのだが、読者はどうお感じになるだろうか。

少なくとも、こういうことは言えると思う。「直訳」の、「……情況が起こりがちだ」というのは、どこか客観的なつめたい表現で、筆者（そしてこの場合、筆者は動物を研究している当人でもあるのだが）とは関係なく、ただ一般的に事実を述べているだけという感じがするのにたいして、「意訳」の「……情況によく出くわす」なら、筆者とこの事実との関係がはっきりわかる。筆者自身が研究し、筆者自身が出くわすのだ（先ほどは一応の主語として「われわれ」を想定してみたけれども、この意味からすると、むしろ「私」と考えたほうがいいかもしれない）。そして日本語としては、このように、どこかに筆者の所在が感じられ、あえていえば主観的な語りかけをされたほうが、誰か生身の人間の書いた文章を読んでいるという、一種の親近感というか、安心感のようなものをおぼえて、それでしっくりくるのではないのだろうか。

AではなくB

さて、次は最後の一句である。

...but it is inevitably the observer, and not the animal, that plays the comical part.

「しかし喜劇的な役を演じるのは、不可避的に観察者であって動物ではない」

今度こそ、もうこの「直訳」で文句のつけようはない、これはこれで結構だ、ということにしてもいいのかもしれないけれども、しかしそれでは「はしがき」で、ある程度は翻訳の経験をつんできた、などと、いささか口はばったいことを書いてしまっている以上、引っこみがつかない。やはり、いくつかコメントしておかざるをえない。

まず第一に、個々の言葉遣いという点からみて、「不可避的に」というのはあまりに仰々しすぎるだろう。「いつでも」とか、「きまって」くらいでいいのではないか。

もう一つ、「観察者」というのも多少気になる。単に固いというだけではない。「滑稽な役を演じる」といえば、それは当然、例えばサルであるとか、タヌキであるとか、動物のほうだろうと想像しがちかもしれないけれども、実は逆に、むしろ観察している人間のほうが滑稽なのだ――原文のポイントは、実はそういうところにあるのではないかと思う。とすれば、ただ「観察者」と片づけるのではなく、「観察している人間」といった訳語を考えてみてはどうだろう。そのほうが、「動物」と「人間」というコントラストがはっきり出る。いずれにしても、先ほど、‘study’ をただ「研究」と名詞で訳すのではなく、動詞として読みほどいてやったのと似た手法である。

さらにもう一つ、これはやや微妙な点だが、「観察している人間」と「動物」と、順序を逆にしたほうがいいのではないかと思う。つまり、まず「動物」のほうを先に出して、「人間」は後にもってくるのである。

(a)「喜劇的な役を演じるのは、観察している人間のほうであって、動物ではない」

(b)「喜劇的な役を演じるのは、動物ではなく、むしろ観察している人間のほうなのである」

原文は、「人間」のほうに力点がくるように書いてあるといえると思う。というのも、「AではなくB」という内容を表わすのに、英語では ‘not A but B’ という形のほうがやはり普通であるのに、ここではわざわざ ‘B, and not A’ という形を取っているからだ。もしそう考えていいとすると、(a)と(b)では、(b)のほうが「人間」に力点がきていて、原文の力点の置き方に即しているように思えるのだけれども、どうだろうか。

確かに(a)と(b)との比較は、今もいうようにかなり微妙で、一概には断定はできないかもしれない。けれども、もし(b)のほうが「人間」に力点がかかっているといえるとすれば、これはあるいは、英語では大事なことは文章の前のほうに置く、逆に日本語では、大事なことは後にくるという、日英語の基本的な特徴に関係があることなのかもしれない。この点は、いずれまた後で、もう少しくわしく検討してみなければならない問題である。

日本語らしい翻訳

さて、ほんの短い英文を訳すのに、ずいぶんあれこれと訳文をいじくり回し、理屈をこねてきたけれども、もうそろそろこの辺で、一応の決着をつけておかねばなるまい。今まで検討してきたことを踏まえて、改めて最初の「直訳」と、これまで練《ね》ってきた「意訳」とを対照してみると——

(直訳)「高等動物の行動の研究において、非常に滑稽な情況が起こりがちだが、しかし喜劇的な役を演じるのは、不可避的に観察者であって動物ではない」

(意訳)「高等動物の行動を研究していると、非常に滑稽な場面によく出くわすが、そんな時、きまって道化役を演じるのは、実は動物ではなく、むしろ観察しているわれわれ人間のほうなのである」

何だ、しかつめらしく理屈をこね回したわりには、大したちがいはないじゃないか——そういわれればそれまでなのだけれども、しかし私としては、たとえ多少の差ではあっても、やはり「直訳」とくらべれば「意訳」のほうが、日本語として自然な発想に即しているといえるのではないかと思う。

（ちなみに、いよいよ最後の段階になって、読者には断りもなく、私が勝手に訳語を変えたり、加えたりした箇所がいくつかあることは、黙っていてはやはりフェアではないだろう。「場面」とか「道化役」とかに変えたのは、「役を演じる」という原文の比喩をさらに生かしたつもりである。「われわれ人間」などとしたのは、先ほどもちょっと触れた、筆者と読者との「親近感」ということを、もう一歩強めてみようとした結果にすぎない）

けれども、今のわれわれにとって大事なのは、この「直訳」と「意訳」と、翻訳としてどちらがどれだけすぐれているかという問題では、かならずしもない。むしろ訳文を工夫しているあいだに、対照言語学的に見て検討の値うちのありそうな問題点が、いくつか拾い出せたということだろう。

こうしたポイントを、ここで一応かいつまんでまとめておくと——

(1)英語では名詞で書いてあっても、日本語ではこれを動詞に読みほどいてやったほうが、自然な訳文を得やすい。

(2)英語では〈もの〉を主語にした構文になっていても、日本語では人間を主体にした表現に変えたほうが、ついて行きやすい。

(3)英語では、重要な情報は文章の前のほうにくるのにたいして、日本語ではむしろ、力点は文末にくる傾向がある。

2 ― 『千羽鶴』

和文英訳

もう一題実例を研究しておきたいと思うが、しかし今度は趣向を変えて、今までとは逆に、日本語を英語に訳す例を取りあげてみることにしよう。とはいえ私のとぼしい英語力では、私自身が英訳してみてもあまり信用していただけそうにもないから、川端康成の『千羽鶴』を、サイデンステッカー教授が英訳された一節を拝借することにする。いずれにしても、今度は日本語から英語に訳したケースを検討してみれば、先ほどの和訳の場合といわば合せ鏡になって、日本語と英語のちがいが、それだけ立体的に見えてくるかもしれない。

さてその『千羽鶴』の一節というのは、栗本ちか子が主人公の菊治にむかって、稲村のお嬢さんとの見合いの段取りをつけた話を報告しているくだりである。

「さきほど稲村さんにお電話で申し上げますと、母といっしょですかと、お嬢さんがおっしゃいますから、お揃《そろ》いでいらしていただければなお結構ですと、お願いしたんですけど、お母さんはお差支《さしつか》えで、お嬢さんだけということにしました」

これにたいするサイデンステッカー教授の英訳は——

When I spoke to Miss Inamura over the telephone, she asked if I meant that her mother was to come too. I said it would be still better if we could have the two of them. But there were reasons why the mother couldn't come, and we made it just the girl.

原文と訳文を注意して読みくらべてみると、実にいろいろの問題点が見つかって興味深い。そういうポイントを、以下、一つ一つ取り出して考えてみることにしよう。

主語の欠落

まず第一に気がつくのは、日本語では、主語に相当するはずの言葉が、ほとんどすべて表面から姿を消しているのにたいして、英語では、当然のことながら、全部きちんと表に出してあるということ。

具体的にいうと、原文では、「(電話で) 申し上げる」、「(お揃いで) いらっしゃる」、

「（きて）いただける」、「結構です」、「お願いする」、「……ということにした」という動詞にたいして、主語に当たる言葉は、一つも表に現われていない。表に出ているのはただ一カ所、「お嬢さんがおっしゃる」という箇所だけだけれども、しかしもう一度よく読みなおしてみると、ここも実は、かりに「お嬢さんが」はなくても、文意が曖昧《あいまい》になる心配は少しもない。

これにたいして英語では、'I spoke...over the telephone' 以下、すべて例外なくきちんと主語が立ててあることはいちいち指摘するまでもないだろうが、それよりここで興味があるのは、では日本語ではなぜ、主語を一つも表に出さないでも、誰が誰に話しているのか、少しも曖昧さが生じないのかという問題だろう。

答えは、すでに読者もお気づきのとおりである。敬語、それに謙譲語——要するにいわゆる「待遇表現」によって、誰が誰にむかって誰のことを話しているのか、主語などなくても一目瞭然だからである。

敬語や謙譲語は、主として動詞・助動詞の選び方や、その活用によって表現されることは今さらいうまでもないし、それに日本語では、動詞・助動詞が文章の最後にくることも今さらいうまでもない。だとするとこのことは、この前の節の最後にまとめた三つの項目のうち、まず第一の、「日本語では動詞中心の発想に置きかえたほうが自然な表現が得やすい」という点、それに第三の、「日本語では重要な情報は文末にくる」というポイントを補強してくれる現象といえるのではないだろうか。

それからもう一つ、日本語では「主語」がよく省略されるというけれども、これは別に「省略」されるのではなくて、むしろ本来必要としないからではないのかという想像もつく。「省略」するまでもなく、もともと動詞・助動詞の働きによって、「主語」など表に出す必要がないのである。だとすれば、これもまた、先ほどいった三項目の第一、「日本語は動詞中心である」という原則を裏書きしてくれるものといえそうである。

直接話法と間接話法

『千羽鶴』の一節を英訳とくらべて、もう一つすぐ気がつくのは、話法の扱い方のちがいである。

原文では、「母といっしょですか」という部分、それから「お揃いでいらしていただければなお結構です」という部分は、それぞれ稲村嬢の話した言葉、それにちか子自身が語った言葉を、ほぼそのまま、直接話法で再現するという形を取っている。日本語ではこういう場合、こうした形で話のやりとりを伝えるのがいちばん普通だし、そのほうがずっとわかりやすい。というより、かりにこの電話のやりとりを間接話法で伝えようとしてみても、いったいどのように表現すればいいものやら、ほとんど見当もつかないくらいだ。

このことは、英訳をもう一度日本語に訳しもどしてみれば、よく理解できると思う。英訳では、わざわざ説明するまでもなく、どちらも間接話法に置きかえてあって、英語としてはこのほうが自然な表現だ——というより、日本語とは逆に、この場合、直接話法を使うことは、事実上不可能だと思うけれども、それはともかく、例えば「母といっしょですかと、お嬢さんがおっしゃいますから」に当たる部分を、また日本語に訳しもどしてみようとすると——

...she asked if I meant that her mother was to come too.
「彼女は、私がいうのは、彼女の母親もまたくるべきだという意味かどうかをたずねた」

というようなことになる。しかし、これでは日本語として、少なくとも、大変わかりにくい文章になってしまう。

(本当をいうと、実はこの訳しもどしさえ、かなり妥協してわかりやすくしてある。というのも、原文が「時制の一致」の規則に従って、'if I *meant* that her mother *was* to come' と過去形にしてあるところを、日本語でもそのまま忠実に再現するとすれば、「私がいったのは」、「母親もくるべきだった」としなければならないはずだけれども、もちろんこれでは、単にわかりにくいどころか、元の日本語の意味とはズレてしまう。日本語には、「時制の一致」などという規則は成立しないからである）

こう見てくると、結局、日本語ではこうした場合、間接話法を使うことは、かりに不可能ではないにしても、非常に不自由であるということができそうである。そしてこのことは、つい先ほど述べた敬語の問題とも密接に関係している。直接話法で、当人のいった言葉をそのまま再現するからこそ、敬語や謙譲語を使い、誰が誰に誰のことを話しているのか、情況を的確に表現できるのだし、逆に間接話法で情況を客観的に再現しなければならないことになれば、待遇表現の道が閉ざされてしまい、わざわざ主語を表に持ち出さなくてはならなくなるなど、日本語としては、相当に不自然な表現を強いられることになってしまうのである。

いっぽう英語では、少なくともこの場合、直接話法を使うことは、きわめて不自然と考えざるをえない。というのもこの引用全体が、すでに栗本ちか子の報告を直接話法で再現している言葉であって、その中にまた、さらに直接話法を使って稲村嬢や、ちか子自身の話した言葉を引用するというのは、まったく不可能ではないにしても、ひどく幼稚な、ないしは、いかにも不自然な表現になってしまうからである。

しかしそれなら、こういう議論は、今のこの特定の場合だけに当てはまることであって、英語一般に通用する議論ではないといわれるかもしれない。ある意味ではそのとおりではあるけれども、しかし改めて考えてみれば、日本語の原文では、現に、直接話法の話の中にまた直接話法を入れるということをやっているのだし、そのほうが日本語としては自然なのだから、やはり英語は一般に、少なくとも日本語とくらべて、間接話法が得意だということはいえるのではないだろうか。

さらにまた、あえてここでは少しばかり先走りして、この点をもう一歩推し進めて考えてゆくと、日本語はどうやら、今の直接話法が肌に合うという点にしろ、先ほどの待遇表現ということにしろ、さらには動詞中心型で、情況を全体的な一つのまとまりのままますくい取ろうとする点からしても、その発想の根本に、情況に密着した表現を好むという、いわば情況論理的性格があるのではないかと思えてくる。

動作主としての人間

けれども、そういう一般的な発想の問題に飛躍する前に、『千羽鶴』の原文と英訳とを比較して、最後にもう一つ確認しておきたいことがある。
つい今しがた、話法の扱い方を見るために取りあげた原文を、もう一度よく英訳と読みくらべてみていただきたい。

「母といっしょですかと、お嬢さんがおっしゃいますから」
...she asked if I meant that her mother was to come too.

原文からはちょっと想像もつかない転換だが、英訳では、'if I meant that...'「私が……ということを意味するのか」という、「主語＋他動詞＋目的語」という形式を使っている。日本語の感覚からすると、いかにも意表をつかれた感じがするけれども、なるほど英語として読めば、確かに自然な表現だと感心せざるをえない。
こういう転換は、実はここ一カ所ばかりではない。そう思って訳文を読み返してみると、ほかにも何カ所か出てくるのに気がつく。例えば――

「お揃いでいらしていただければ……」
if we could have the two of them

「お嬢さんだけということにしました」

we made it just the girl.

英語では一般に、actor-action 型の文章の構成法がきわめてひろく使われる——その中でも特に、「動作主＋他動詞＋目的語」の構文が非常によく使われるという事実は、すでに英語学者がしばしば指摘しているところだけれども、これが英語の発想にとってどれほど根本的なパターンであるか、こうして日本語と具体的に対比してみると、改めてなるほどと思い知らされる。こんな短い例文の中に、この「動作主＋他動詞＋目的語」の形が三度も顔を出すのだ（さらにもう一つ、これは話法の問題とも関係するが、'she asked that...' まで加えてもいいかもしれない）。しかもその三つ（ないし四つ）の場合いずれも、日本語ではこんな形で他動詞が使われてはいないのである。

前の節の最後の「まとめ」で、その第二項に、「日本語では人間を主体にした表現のほうがなじみやすい」ということに注目しておいたけれども、今の「動作主＋他動詞」という英語の型と考えあわせてみると、この点はもう少し補足しておかなければならないことがわかってくる。

英語でも、もちろん「動作主＋自動詞」という形はいくらでも出てくる。けれども、あくまでも日本語との対比という観点から、英語に特徴的な表現を際立たせてゆくと、こんなことがいえるのではないか。つまり日本語では、同じく人間を主体とするといっても、その人間は、かならずしも「動作主」として、ほかの人間なり物なりに能動的に働きかける者として捉えるというよりは、今の三つの例からもよくうかがえるように、特に誰が誰にどう働きかけたというのではなく、むしろ、物事全体が自然にそうなったというような表現を好む――少なくともそういう表現が得意である。これにたいして英語では、あくまでも「動作主」としての人間を主語に据《す》え、その動作主の行動（アクション）という視点から情況を捉える傾向が強い、ということである。

もしこういうことがいえるとすれば、これもまた、日本語の情況密着型の発想、情況論理的性格を裏書きする現象といえるかもしれない。

さて最後に、この前の節でやったのと同じように、『千羽鶴』の例から拾い出せたポイントを、大まかに取りまとめておくことにしよう。

(4)日本語では、主語の働きは動詞によって果たされる面が多い。だから、わざわざ主語を表に出す必要のない場合が少なくない。

(5)日本語は一般に直接話法が得意である。ところが英語は、むしろ間接話法を得意とする。

(6)日本語では、物事全体が自然にそうなったというような表現を好むのにたいして、英語では、これを人間の「行動」として捉え、「動作主＋他動詞＋目的語」の形で表現することを好む。

さて以下の章では、こうして、わずか二題の実例ではあったけれども、例文に即して得た手がかりを糸口にして、日英語の表現・発想のちがいを、もう少しくわしく掘りさげてゆかなくてはならない。

第二章　〈もの〉と見るか、〈こと〉と取るか

1―名詞中心と動詞中心

構文の転換

まず、第一章の「まとめ」の(1)で触れた点、つまり、英語は名詞を焦点にして文章を構成してゆく傾向が強いのにたいして、日本語では、むしろ動詞が中心になるという対比を検討してみよう。

この指摘そのものは、別に目新しいことでもなんでもない。すでにたびたび言われてきていることで、例えば外山滋比古教授も『日本語の論理』（中公叢書）の冒頭、まことに明快、端的にこう指摘しておられる。

西欧の言語が名詞中心構文であるのに、日本語は動詞中心の性格がつよい。「この事実の認識が問題の解決に貢献する」というのが名詞構文なら、「これがわかれば問題はずっと解決しやすくなる」とするのが動詞構文である。翻訳においては、語句の翻訳だけでなく、こういう名詞構文→動詞構文の転換も必要である。（一〇ページ）

まさにそのとおりで、われわれが今まで、例えば、「ちがって見えるという事実が嘲笑を生む」→「ちがっているだけで嘲笑される」、「高等動物の行動の研究において」→「高等動物の行動を研究していると」といったいいかえを試みてきたのも、つまりは、外山教授のいわれる「構文の転換」を実行することにほかならなかったわけである。

アメリカ独立宣言の例

柳父《やなぶ》章氏も、具体的な翻訳例に即して、やはり同じ点を指摘しておられる。福沢諭吉の『西洋事情初編』の中に、アメリカ独立宣言の冒頭を訳したものが出ているが、柳父氏はその原文と、「直訳」と、それに福沢訳とを並べて比較し、原文と「直訳」が名詞中心であるのにたいして、福沢の訳が動詞中心になっていることを示しておられる。少し長いが、三つともそのまま引用してみよう。

When in the course of human events it becomes necessary for one people to dissolve the political bands which have connected them with another, and to assume among the powers of the earth, the separate and equal station to which the Laws of Nature and of Nature's God entitle them, a decent respect to the opinions of mankind requires that they should declare the causes which impel them to the separation.

（直訳）人類の諸事件の経過において、一国民が他の国に結びつけられていた政治的な絆《きずな》を解き放ち、自然法と自然の神の法がその国民に付与した分離した平等の地位を、地上の列強の間で占めることがその国民にとって必要となる時、人類の世論にたいする当然の配慮は、彼らが分離せざるをえなかった理由を宣言すべきであるということを要求する。

（福沢訳）人生已《や》むを得ざるの時運にて、一族の人民、他国の政治を離れ、物理天道の自然に従って世界中の万国と同列し、別に一国を建てるの時に至ては、其《その》建国する所以《ゆえん》の原因を述べ、人心を察して之を布告せざるを得ず。

福沢訳は、かならずしも原文の逐語訳ではなく、ほとんど「大意」に近い自由な翻訳ではあるにしても、さすがにみごとで、「直訳」が日本語としてほぼ理解不可能であるのとは対照的に、ともかく読みやすい。だがそれなら、その読みやすさの原因はいったいどこにあるのか。柳父氏は、この点をこう分析しておられる。

文全体は、いくつかの句に切られ、はじめの一句を除いて、他はみな、「離れ」、「同列し」、「至ては」、「述べ」、「得ず」と、動詞、または動詞プラス付属語で終っている。読者は、動詞が現われたところで、だいじな意味を語る言葉が分り、思考の流れはひと区切りつく。ひと区切りついた部分は一応前へ預けておいて、その先へ読み進んで行ける。……こういう面から見るとき、西欧文は名詞を中心として展開してゆく構造であるのにたいして、日本文は用言を中心として展開して行く構造であると言えよう。(日本翻訳家養成センター刊『比較日本語論』四三—四四ページ)

この指摘は、確かに当を得ていると思う。

動詞構文への転換

けれども本書の狙いとするところは、あくまで具体的に翻訳のプロセスを分析することを通じて、日本語、英語の差を探り出そうとすることであるのだから、ただ抽象的、一般的に、「英語は名詞中心、日本語は動詞中心」という命題が出てきたからといって、それで満足しているわけにはゆくまい。この命題を、実際の翻訳に照らして確認しておかなくてはならないが、たまたま本書の冒頭、「はしがき」で出しておいた例文は、今の外山教授、柳父氏の指摘を検証するのに、恰好の実例になってくれそうだから(それに「はしがき」では、いきなり「直訳」から「意訳」へ飛んで、間の手続きをくわしく調べている余裕がなかったから)、ここで、改めてあの例を再検討してみることにしたいと思う。

まず前半の文章。

Sparse hair, or worse still, baldness makes impossible the natural wish of men and women to be just like other people.

全体の構文は、「薄い髪」または「禿」が、「自然な願望」を不可能にするという形になっている。外山教授の挙《あ》げておられた、「この事実の認識が問題の解決に貢献する」というのと、ほぼ完全に一致する構文である。これを、「これがわかれば問題はずっと解決しやすくなる」という式の「動詞構文」に転換するとすれば、「髪が薄ければ、あるいは頭が禿げていれば、自然な願望は不可能になる」という形になるはずだ。

（ちなみにこの、「薄い髪が望みを不可能にする」というのは、読者もすでにお気づきのことと思うが、この前の章の最後に出てきた「動作主＋他動詞＋目的語」の構文であることに注目しておきたい。ただしここでは、「動作主」が人ではなく、代りに無生物が入った変形型である。いずれにしても、しかし、英語の「XであるAがBをYにする」という表現が、日本語では「AがXであればBはYになる」という形に変っていることにも注意しなければならない。というのも、こう整理してみると、英語は名詞中心の〈もの〉的な捉え方をすると同時に、行動中心の〈する〉型の表現を取るのにたいして、日本語は動詞中心の〈こと〉的な捉え方と同時に、〈なる〉型の表

現が特徴であるらしいという見当がついてくるからだ。この点は次の章で、もっとくわしく検討してみるつもりである）

さて、この「動詞構文」への転換を実際の訳文で実行してみると、こんな文章が出てくるだろう。

「髪が薄ければ、あるいはもっと悪いことに、頭が禿げていれば、人々の他人と同じでありたいという自然な願望は不可能になる」

しかしこれではまだ、日本語としてどうも十分落ちつかない感じが残る。どこが具合が悪いのか。「願望」の前に、やたらに長い連体修飾句がつながっているからだろう。つまり、全体の構文は一応「動詞構文」になってはいても、この連体修飾語の部分だけはまだ、英語と同じように、修飾語句が名詞を焦点にしてつながるという、名詞中心の形になっているからである。

これを解決するためには、福沢の訳文にあったように、一度用言で意味にまとまりをつけ、区切ってみてはどうだろう。そのためには、'wish' をただ名詞として読むのではなく、動詞と考えて読みほどいてみてはどうか。そうすると、'the natural wish of men and women to be just like others' という英語の表現の背後には、実は、「人々が他人と同じようでありたいと望む」という意味の構造が隠れていることが見えてくるのではなかろうか。「人々の自然な願望」というのは、だから、「人々がそう願うのは自然だ」ということなのである。

そこで結局――

「人間なら誰しも、人と同じようでありたいと願うのは自然なことだ。ところが髪が薄かったり、もっと始末が悪いことにまるきり禿げていたりでは、こうした願いも空しいものになってしまう」

という訳文が出てくるというわけである。

実をいうと、しかし、最初「はしがき」でこの訳文を書いた時には、かならずしもここまですべて意識して訳したわけではなかった。ただ、なんとかして自然な日本語の表現を探し出そうと、試行錯誤を繰り返してようやくたどり着いたにすぎなかったのだけれども、今改めて、外山教授や柳父氏の指摘を自分の訳に当てはめてみると、結果的に、実はそういう転換をやっていたことに気がついたというわけである。そういえば、「薄かったり」、「禿げていたり」という意味の区切り方も、たまたま、柳父氏のいわれる「動詞プラス付属語」で終る形になっている。

名詞を解きほどく

さて後半——

The mere fact of looking so different causes disdain, suspicion and ridicule.

ここはもう、前半ほどくどくどしい説明の必要はないだろう。ここでもまた、「動作主＋他動詞＋目的語」を変形した無生物主語の構文で、「事実が軽蔑を生む」という表現になっているけれども、これを「動詞構文」に置きかえれば、「事実で軽蔑が生まれる」といった形になるはずだ。基本的にはこの形式に従えばいい。

ただここでは、前半には出てこなかった現象がいくつかある。第一に、原文では‘*mere* fact’と、名詞につく形容詞であったものが、構文全体を「事実で……」という形に改めると、当然のことながら、この‘mere’もそれにつれて副詞的に、「事実だけで……」といった形に変るということが一つ。

けれども第二に、これよりもっと興味のある点として、‘disdain’以下の三つの名詞の扱い方の問題がある。英語では、「軽蔑」、「疑惑」、「嘲笑」と、いかにも名詞中心的、〈もの〉的に、ただ名詞を三つほうり出してあるだけだが、これを動詞中心的、〈こと〉的、ないしは情況論理的に読みほどいてみると、実はこれは、「頭の禿げている当人が、他人から軽蔑される、怪しまれる、嘲笑される」という、日本語ならそれぞれ一つの文章によってすくい取るはずの情況を表わしていることがわかると思う。英語では、名詞一個の中に情況全体を凝縮してしまうのにたいして、日本語では、これを文章の形に読みほどき、展開してやらなければ、自然な表現にはならないということである。

そこで訳文は——

「ただ外見がちがっているというだけで、人から馬鹿にされたり、怪しまれたり、嘲笑されたりしてしまうのである」

英語は名詞中心、日本語は動詞中心という対照が、この訳例の検討で、多少は具体的に確認できたといえるのではないだろうか。

2―関係代名詞という大敵

拒否反応

ところで、「名詞中心」とか「動詞構文」とかいうのは、あくまで文章の表に現われた表現のレヴェルでの特徴であるけれども、こうした特徴の背後には、そういう表現を支えている発想の特徴というものがあるはずだ。そして実際、今までにも少々先走りして、〈もの〉的とか〈こと〉的とか、あるいは情況論理的であるとか、すでに発想のレヴェルにまで一歩二歩足を踏み入れかけているので、本来なら、ここですぐさまそうした問題に入ってゆきたいところではあるのだけれども、しかし、半分は翻訳読本という性格もある本書としては、その前に、やはり片づけておかなくてはならない問題が一つある。関係代名詞の問題である。

英語を日本語に翻訳していて、いちばん頭を悩ませる難題の一つがこの関係代名詞であることは、少しでも翻訳を試みたことのある読者なら先刻御承知のはずだと思う。いや、別に翻訳の経験などまったくなくても、もし英語に名詞中心の性格が強いとすれば、その必然的な結果として、関係代名詞という問題が出てくることは容易に理解できるはずだ。というのも、英語は名詞を焦点にして文章を構成してゆくからこそ、その核としての名詞に、長い修飾語句を関係代名詞でつなぎとめるということもできるのであって、それが英語の文章構成法の生理に合うのである。

ところが、日本語は動詞を中心にして文章を組み立ててゆくから、関係代名詞を英文解釈式に直訳して、ただ名詞の前に長い修飾句としてくっつけただけでは、日本語の骨組に過重な負担をかけてしまう。いわば、生理的に拒否反応を起こしてしまう。そこで、例えば先ほど見たアメリカ独立宣言の「直訳」の例のように、ほとんど理解不可能な奇文ができあがってしまうのである。

とはいえ、こういう問題が出てくるのは、実は別に、関係代名詞の場合だけにかぎらない。現にこの前の節でやった、「人々の他人と同じでありたいという自然な願望」という例のように、不定詞や動名詞その他で、とにかく長い連体修飾句が現われる時には、いつでも同じ問題が出てくるのだけれども、しかしなんといっても、その代表格が関係代名詞であることはまちがいない。そこでここでは、関係代名詞だけに的をしぼって考えてみることにする。その他の場合は、これを応用すれば十分解決できるはずだ。

さて、なにか例文に即して検討してみなければならないが、先ほどせっかくアメリカ独立宣言を引用しながら、くわしい分析を加えてないから、あの文章を例題に取りあげてみることにしたい。とはいえこれは、なにしろ二百年以上も昔の文章で、やや古くさいし、それに、公式の宣言文だから、相当に堅苦しい文章である。その上、関係代名詞の使い方という点から見ても、なかなかに手ごわい難敵だが、しかしそれだけに、関係代名詞の衝撃を日本語の組織の中に吸収するのがいかに難事か、いっそう鮮明に浮かびあがってきそうである。さいわい福沢訳という強力な援軍もあることだし、その助けも借りながら、あえてこの強敵に挑戦してみる。

「……こと」にまとめる

先ほど引用した部分には、関係代名詞は三つ出てきた。直接関係のある箇所だけを抜き出すと、まず第一に——

(to dissolve) the political bands *which* have connected them with another

'them' は 'one people' をさし、'another' は、もちろん 'another people' の意味である。そこでこれを「直訳」すれば——

「ある国民を他の国民と結びつけてきた政治的絆《きずな》（を解消し）」

これをなんとか、「動詞構文」に読みほどいてやる方法はないものか。

ところで先ほど、「人々の他人と同じでありたいという自然な願望」という長い連体修飾句を、「人々が他人と同じでありたいと願うのは自然なことだ」と、動詞中心的な表現に読みといた。同じような手法を、ここに応用してみればどうなるか。

「政治的絆がある国民を他の国民に結びつけてきた」

しかしこうしてみると、これも実は、先ほどから何度も出てきた、例の「動作主＋他動詞＋目的語」の構文（くわしくはその変型の、いわゆる「無生物主語」の構文）であることに改めて気がつく。だがこの構文は、日本語にはどうもそぐわない。ローレンツの例文でもやったように、人間を主語の位置に置いたほうがよさそうである。つまり、結果的には受身の形になるわけだ。

「ある国民が政治的絆によって他の国に結びつけられてきた」

さて、むつかしいのはこの先だ。というのも原文では、この 'political bands' は 'dissolve' の目的語になっていて、そういう形で文章全体に組み入れられている。ところが今のように、動詞中心にして文章の形に読みほどいてしまっては、これを全体につなぐ手がかりがなくなってしまうからである。なんとか名詞節の形にして、'dissolve'「解消する」

の目的語になるように工夫しなければならない。

いちばん簡単なのは、「……こと」、ないしは「……の」をつけ、全体を体言相当の句にまとめるという方法である。

「ある国民が、政治的絆によって他の国に結びつけられてきたこと（の）を解消し」

これではまだまだ不十分だが、最後の仕上げはまた後に回すとして、少なくとも最初の「直訳」とくらべれば、まだしも日本語の生理になじむ形に置きかえられたということにしておこう。（ちなみに、このような形にすると、「ある国民」が、「結びつけられ」ばかりではなく、「解消し」の主語としても働く結果になることに注意しておきたい）

難敵を手なずける

さて二番目の関係代名詞。

(to assume) the separate and equal station to *which* the Laws of Nature and of Nature's God entitle them

これは、さっきの例よりさらにむつかしい。関係代名詞の前に前置詞のついた形である。

それに、'entitle'という動詞もなかなかに訳しづらいが、ともかくまず「直訳」してみると――

「自然法と、自然を創った神の法が、その国民に当然の権利として認める、分離した平等の地位（を占める）」

気がついてみると、これまた例の、「動作主＋他動詞＋目的語」（無生物主語）の構文だ。前にやったように、人間を主語に置いた形に改めると――

「自然法と、自然を創った神の法によって、その国民が当然の権利として認められている、分離した平等の地位」

ところで福沢訳でこの部分を見ると、「物理天道の自然に従って（万国と同列し）」となっている。これを参考にしながら、全体を動詞中心の表現に読みほどくとすれば――

「その国民が、自然および、自然を創った神の法に従い、当然の権利として独立し、（他国と）平等の地位を（占め）」

これで大分、日本語らしくなってきた。柳父氏のいわれたとおり、「従い」、「独立し」、「地位を占め」、と、意味の切れ目が動詞の中止形で区切りのつく形にもなった。

さて三番目。

(declare) the causes *which* impel them to the separation

（直訳）「彼らを分離（独立）に駆り立てる原因（を宣言する）」

またしても「無生物主語＋他動詞＋目的語（人間）」という構文である。例によって受身に直すと――

「彼らが独立に駆り立てられる原因」

さて次には、これを動詞中心の文章の形に展開してやらなければならないわけだが、これはちょっとむつかしい。いっそ「原因」のところを、「どのような原因によって」、さらには、「なぜ……しなければならないか」と言いかえてみてはどうだろう。すると――

「彼らがなぜ独立せざるをえないかを（宣言する）」

といった形が出てくる。これなら日本語としてよくわかる。（この言いかえは話法の問題に関係している。後で話法を考える時、もう一度、もう少しくわしく検討してみることにしよう）

日本語の生理に合わせる工夫

以上で、関係代名詞という異物を、なんとか日本語に同化する基礎作業は一応終った。最後に、改めて原文全体と、「直訳」と、今まで練ってきたことを基礎にして、もう少し手を入れた「訳文」をまとめておこう。

When in the course of human events it becomes necessary for one people to dissolve the political bands which have connected them with another, and to assume among the powers of the earth, the separate and equal station to which the Laws of Nature and of Nature's God entitle them, a decent respect to the opinions of mankind requires that they should declare the causes which impel them to the separation.

(直訳)「人間的事件の経過において、ある国民が、彼らを他の国民に結びつけてきた政治的絆を解消し、地上の諸国のあいだで、自然法と、自然を創った神の法が、彼らに当然の権利として認める、分離した平等の地位を占めることが必要となる時、人類の世論にたいするしかるべき考慮は、彼らを分離に駆り立てる原因を宣言することを要求する」

(訳文)「歴史の経過にともなって、ある国民が政治的絆によって他国に併属されてきたことを嫌い、これを解消して、自然および自然を創った神の法に従い、当然の権利として独立し、世界の列強のあいだに伍して平等の地位を占めざるをえなくなった時、人類の輿論にしかるべき敬意をはらうならば、なぜ独立するほかないか、その理由を、ひろく内外に宣言しなければならない」

完成した訳文として世間に発表するためには、この上さらに、特に文体上の問題を考慮して、もうひと練り練って最後の仕上げをしなければならないだろうが、ともかくこれで、福沢訳よりはもう少し逐語的に原文に即しながら、なおかつ、少なくともある程度、日本語の生理になじむ訳文が得られたのではないかと思う。とはいえ、それでもまだこの訳文は、日本文としてかならずしも読みやすいとはいえないかもしれない。しかしそれをいうなら、そもそも原文自体がそう読みやすい文章ではないのだから、まあ、やむをえないと認めていただくより仕方があるまい。

念のために、最後の段階で訳文に加えた工夫を簡単に説明しておくと――

(1)原文にはない動詞をいくつか付け加えた――「経過にともなって」、「ことを嫌い」、「あいだに伍して」、「敬意をはらう」。そのほか、すでに動詞を加えてあった箇所（「自然を創った神」、「法に従い」、「独立し」）も合わせると、訳文は原文よりずいぶん動詞の多い文章になっている。

(2)指示代名詞の利用――「……てきたことを嫌い、これを解消して」、「……するほかないか、——その理由を」の箇所で、指示代名詞を活用する工夫をしてみた。日本語の柔かい構造の中で論理的な関係を明確に示すためには、こういう工夫が効を奏するケースが意外に多い。

(3)「動詞構文」の採用——原文の最後の、'a decent respect...requires that...' という部分は、またしても無生物主語の構文である。例によって、外山教授のいわゆる「動詞構文」に置きかえた。

そのほか、訳文全体について気のつく点を拾い出すと——

(4)中止形で区切る——柳父氏が指摘しておられた手法に従って、大事な意味の切れ目には、動詞の中止形(ないしはそれに相当するもの)を置いた。例えば「ともなって」、「嫌い」、「解消して」など。

(5)主語を統一する——無生物主語の構文を、人間を主格にした形に置きなおした結果、文中の動詞はほとんど全部、「ある国民」を主語とすることになった。前に第一章で、「高等動物の行動の研究において、非常に滑稽な情況が起こりがちだが」を、「高等動物の行動を研究していると、非常に滑稽な情況によく出くわすが」と置きかえた例があったが、あれと同じことである。訳文が多少とも読みやすくなっているとしたら、この、主語の統一ということが大いに関係があると思う。

この点は、原文、直訳、訳文を、もう一度読みくらべてみればよく理解していただけると思うが、原文でも直訳でも、途中で主語がくるくる変る。英語では別になんでもないけれども、日本語でこれをやると、非常にわかりにくくなる。というのも日本語は、あくまで動詞（ないし、むしろ述語）が中心で、主語は必要な時だけ表に出てくる程度の役割しか負っていない。新しい主語が出てくるたびに、こちらの頭の中でいちいち方向転換をしなければならないような文章は、そういう日本語の特性に合わないのである。

いずれにしても、われわれが最後に探り当てた訳文は、結果的に、ほぼ同じ一つの主語で統一できた。別のいい方をすると、一度出しておけば、それ以後、主語を繰り返す必要のない形になった。日本語として自然な形である。これが、わかりやすさの大きな原因となったのである。

手短に片づけるつもりのこの節が、思わず手間どってしまったけれども、しかし、わずか一つの例文、三つの関係代名詞を処理するのに、これだけの手間がかかったということ自体、関係代名詞というもの、さらには、その背後にある名詞中心の文章構成法というものが、日本語にとってどれほど異質か、雄弁に物語っているともいえるかもしれない。

それはともかく、次にはいよいよ、その名詞中心主義を支えている発想法とはどういうものか、検討に入らなければならない。

3―実体中心に分析するか、情況をすくい取るか

無生物主語の構文

さて、今まで「名詞中心」ということを、個々の例についてあちこちバラバラに見てきたので、ここで一応、もう少し整理しておくことにしよう。

英語では、例えば「頭が禿《は》げている」という情況を 'baldness' という名詞一個で捉え、あるいは「人に馬鹿にされる」とか「人に笑われる」とかいう情況を、'disdain' とか 'ridicule' とか、一個の名詞の中に集約してしまう現象がしばしば見られる。

それればかりではない。「高等動物の行動を研究していると」といった、副詞節に相当するはずの場合でも、その中から、「研究」という名詞的要素をわざわざ取り出して、'in the *study* of the behaviour of the higher animals' と、名詞を核にし、その前後に前置詞でまた名詞をつないでいって、結局、副詞句にまとめてしまう。

もう少し複雑なケースとしても、「人間は誰しも、他人と同じようでありたいと思うもので、それは人間として自然なことだ」といった内容を表わす場合でさえ、この情況全体

の中から「願望」という要素を名詞として取り出し、「人々の他人と同じでありたいという自然な願望」‘the natural *wish* of men and women to be just like others’ という名詞句として言語的に定着する。

この傾向がさらに露骨に現われるのが関係代名詞を使った構文で、例えば、「ある国民は自然法に従い、当然の権利として、独立し、他国と同等の地位を取ることができる」といった複雑な内容すら、「地位」という一個の名詞を核にして、‘the separate and equal *station* to which the Laws of Nature entitle one people’ という名詞句にまとめてしまう。しかも、このようにして作られた句全体が、その一個の名詞をいわば取手《とって》にして、動詞の目的語という役割を通じて、文全体に繰りこまれてゆくのである。

さらに注目すべきことに、こうした「名詞中心」という特徴は、「動作主＋他動詞＋目的語」の形式、なかんずく「無生物主語」の構文としばしば結びつく。例えば、「頭が禿げていると、他人と同じようでありたいと思っても（そう思うのは人間として自然なことだが）、そうはゆかない」という内容を、「禿が自然な願望を不可能にする」という形で言語化するのだ。

実際、「名詞中心主義」と「無生物主語」の結びついている例は、英語を読んでいると始終出くわす。その例を挙げるとなると、それこそ枚挙にいとまがないが、一つだけ簡単な例を挙げると――

A slight slip of the doctor’s hand would have meant instant death for the patient.

これなど、かなり典型的な例かもしれない。まず、「医者の手がほんのわずかに滑る」という出来事を、これに密着した形で言語化するのではなく、その中から、わざわざ「滑り」という名詞的要素を抽出し、これを中心にして、前後に形容詞、あるいは前置詞＋名詞という形容詞句を配して、‘A slight *slip* of the doctor’s hand’ という名詞句にまとめている。

それればかりではない。‘would have meant’ と、動詞が仮定法過去完了の形になっているところからすれば、この名詞句はさらに、「もし医者の手がほんのわずか滑っても」という、条件節に当たる役割まで負わされていることに気がつく。

しかも、「患者はすぐに死ぬ」という情況もまた、「患者のたちどころの死」という名詞句の形に言語化され、そして全体が、「手の滑りが死を意味したであろう」という、無生物主語の構文に組み立てられてゆくのである。

これを――

（直訳）「医者の手のほんのわずかの滑りが、患者のたちどころの死を意味したであろう」
（意訳）「医者の手がほんのわずかに滑っても、患者はたちどころに死んでいたであろう」

と対比してみると、ある情況なり出来事なりを言語化するのに、英語ではどのようなプロセスを取るか、日本語と対照して、その特徴がよく理解できるのではあるまいか。

〈もの〉指向と〈こと〉指向

この言語化のプロセス――つまり、発想が具体的な表現の形にまとめられてゆく過程は、いったいどう特徴づければいいのだろうか。池上嘉彦《よしひこ》教授はこれを、日本語が〈こと〉指向的であるのに対して、英語は〈もの〉指向的であるという対比で捉えておられる。

われわれもすでに今まで、ところどころで先走りして、〈こと〉的捉え方、〈もの〉的発想などという言葉を使ってきたけれども、実はこれは池上教授が、『〈する〉と〈なる〉の言語学』（大修館書店）で提出しておられるテーゼを拝借したものだったのである。実際この池上教授の研究は、最近の対照言語学の分野のもっとも注目すべき成果の一つだと思うのだけれども、その中で教授は、今の二つの発想法という点を、精細な言語学的対比を踏まえた上で、結論として次のように規定しておられる。

ある出来事が表現される場合、そこに何らかの個体（典型的には動作の主体）を取り出し、それに焦点を当てて表現する場合と、そのような個体を特に取り出すことなく、出来事全体として捉えて表現する場合とがある。……前者が〈モノ〉指向的な捉え方であるとすれば、後者は〈コト〉指向的な捉え方と言えよう。（九四―九五ページ）

そしてもちろん、英語は前者の型に属し、日本語は後者のタイプだというのである。

この規定は、われわれが今まで実例に即して観察してきたところを、実にみごとに、端的に説明してくれているのではないだろうか。

確かに英語は、ある情況ないし出来事を言語化しようとする時、まずこれを論理的に分析し、分節化して、一個のアイデンティティーをもつと考えられる項を析出し、ある実体的な〈もの〉として名詞化する（この場合もちろん〈もの〉とは、単に物ばかりではなく者、つまり人間をさすことも多い――というより、むしろ典型的には動作主としての人間である）。さて、こうして名詞として定着された〈もの〉が、もう一つの、同じようにして抽出された〈もの〉にたいして、なんらかの動作を働きかけ、その結果として一つの情況なり出来事なりが成立した――英語は、こういう捉え方をする傾向が強いのである。

これにたいして日本語は、情況ないし出来事を、できるだけこれに密着して、まるごとすくい取ろうとする。抽象的に分節化して、実体的な〈もの〉が、もう一つの〈もの〉に働きかける関係として捉えるよりは、あたかも情況が、全体としておのずから成ったというように——つまり、要するに〈こと〉として捉えようとする傾向が強い。往々にして、主語を明確に取り出すことさえしないのである。

日本語に関係代名詞のない理由

それればかりではない。英語では、これもすでにわれわれの見てきたとおり、こうして析出された〈もの〉としての名詞を核として、これに、関係代名詞によって長い修飾語句をつなぎ止めてゆくこともできる。名詞中心・〈もの〉中心という英語の特徴は、関係代名詞によってますます鮮明なものになるわけだが、この点についてもまた池上教授は、「英語はむしろ〈もの〉を〈こと〉から取り出して露呈する。関係代名詞をこの観点から考えてみると興味深い」として、次のような例を使ってこう説明しておられる。

Do you know of the millions in Asia that are suffering from protein deficiency because they get nothing but vegetables to eat?

この英文を、できるだけその構文に忠実に「直訳」すればこうなるだろう。

「食べるべきものは野菜以外には何物もないため、蛋白質不足で苦しんでいるアジアの何百万の人々を知っていますか」

しかし、これでは「〈もの〉的な言い方——つまり、出来事の中から〈知る〉の対象として〈アジアの何百万人〉という〈もの〉を取り出し、それに残りの部分を修飾的な叙述として結びつけた言い方」でしかない。

これを、日本語の〈こと〉的な発想法に置きかえて「意訳」すればどうなるか。

「アジアの何百万という人たちは、野菜以外に食べる物がないために、蛋白質不足で苦しんでいること（の）を知っていますか」

これではじめて、「出来事をそのまま一つのまとまりとして、一つの節の形で表わした〈こと〉的な表現」になる。

（ちなみに、われわれがアメリカ独立宣言で試みた工夫も、まさにこれと同じことだったのだ。つまり「他の国に結びつけられた政治的絆を解消し」を、「政治的絆によって他の国に結びつけられてきたこと（の）を解消し」といいかえた、あの「直訳」から「意訳」への置きかえである）

池上教授はさらに、このことから、なぜ日本語では関係代名詞が発達しなかったのか、その理由を知る手がかりが得られるとして、こう説いておられる。「関係代名詞は典型的な〈もの〉的構文を作り出す。これは〈こと〉的な表現への指向性の強い日本語の性格とは合わないのである。」(二五九ページ)

伝統的な〈こと〉指向性

こうした日本語の〈こと〉指向性は、もちろん昨日や今日始まったことではない。というより元来、伝統的な表現では、今日よりもっとひろく用いられていたはずで、池上教授は、『古今集』の紀貫之の歌を引いてこの点を例証しておられる。

袖ひぢてむすびし水のこほれるを
　春立つけふの風やとくらん

本来なら、風が解くのは「凍った水」という〈もの〉のはずだ。ところがそれが、「水が凍った」のを解くと表現されている。〈もの〉的な対象すら〈こと〉化してしまうのである。こうした捉え方は今日でも、例えば「子供が泣いているのに出会った」とか、「子供が泣いているのを助けてやった」とかいう表現によく見られる。「泣いている子供に出会った」とか、「泣いている子供を助けてやった」とかいう〈もの〉的な表現よりも、「泣いているのに」、「泣いているのを」という〈こと〉化された表現のほうが、むしろ日本語

の生理にはぴったりくるのである。(二五九―六〇ページ)

池上教授の指摘はいちいちまことに適切で、なるほどと感心せざるをえないのだけれども、しかしいつまでも感心ばかりして、教授の指摘におんぶしているわけにもゆかない。今までわれわれが、英語の文例を日本語に訳すプロセスを通じて経験的に観察してきたことが、池上教授の指摘で一応裏書きされたことを確認しておいた上で、今度は逆に、日本文を英語に訳した例をいくつか調べて、日本語の〈こと〉指向性、英語の〈もの〉的発想という対比をさらに例証しておくことにしよう。

実体化のプロセス

谷崎潤一郎の『少将滋幹の母』の第九章に、次のような一節が出てくる。

「そこらに虫の音が聞こえていたので、季節が秋であったことは確かである」

サイデンステッカー教授の英訳を見ると、ここはこんなふうに訳してある。

Shigemoto could remember a humming of insects that suggested the autumn.

まず前半、日本語では「虫の音が聞こえていた」と、情況をそのまますくい取る捉え方をしている。主語さえかならずしも分離してない。なるほど一見、「虫の音」が主語のように見えるかもしれないけれども、しかしこれは、少なくとも英語でいう主語の働きを果たしているとはいえないだろう。英語で「虫の音」を主語にするのなら、'A humming of insects *was heard.*' と、受動態にしなければならないはずだ。ところが、日本語の「聞こえる」という動詞は、自動詞とも他動詞ともはっきり区別しきれない、まさに〈こと〉的な働きをする。いや、「聞こえる」なら 'hear' で置きかえられる、だから他動詞だといわれるかもしれない。しかしそれなら、'Shigemoto could hear a humming of insects.' と、「滋幹」を主語にしなければならないはずで、「虫の音」が主語にはならない。

そこで、英訳を改めて読みなおしてみると、'Shigemoto could remember a humming of insects.' となっている。「滋幹」が主語になってはいるけれども、動詞は 'hear' ではなく 'remember' で、しかも目的語は 'a humming of insects' である。ということはつまり、これは、「滋幹は虫の音が聞こえていたの*を*おぼえている」ということではないのか。いいかえると英訳では、「虫の音が聞こえていた」全体を 'a humming of insects' という名詞句に集約し、〈もの〉化しているということではないのか。その上で、その〈もの〉を、「滋幹がおぼえている」と、「動作主＋他動詞＋目的語」の形に構成しているのではないか。

こうしてみると、確かに日本語は、情況全体を〈こと〉としてすくい取ろうとしていることが見て取れると思う。情況を分析して、そこから、一つのアイデンティティーをもった〈もの〉を析出し、主語として、あるいは目的語として定着するという方法は取っていない。これにたいして英訳では、まず「滋幹」という主体を明確に分離して主語に据え、「虫の音が聞こえていた」という〈こと〉を「虫のすだき」という〈もの〉として実体化し、そしてこの二つの〈もの〉の関係を、‘remember’という他動詞によって、一つの働きかけの行為として定着し、言語化しているわけである。

後半も同様で、英訳ではまず、「季節が秋であったこと」を‘the autumn’という〈もの〉に実体化する。そして、「虫のすだき」という〈もの〉が、「秋」という〈もの〉を‘suggest’すると、またしても「動作主＋他動詞＋目的語」の形を使って、二つの〈もの〉を関係づける。これを、「季節が秋であったことは確かである」という原文と改めて読みくらべてみると、日本語のほうは、いかに抽象化、分節化の度合いの低い、情況密着型の表現になっているか、今さらながら思い知らされずにはいられない。

ところが、実はまだそればかりではないのである。英訳では後半の部分をさらに、関係代名詞を使って「虫のすだき」に結びつけ、前半の文章に堅固に結合してしまっている。同じ情況を言語化するプロセスが、日本語と英語でいかにちがうか、ますます痛感しないではいられない。

分節化の発想

この調子で分析をつづけたのでは、いたずらに煩雑になるだけかもしれない。あと一つだけ、日本文を英訳した例を調べて、簡単にコメントするにとどめておこう。『少将滋幹の母』の、今引用した一節のしばらく後に、今度はこんな文章が出てくる。

「あたりには鼻を衝《つ》く屍臭が瀰漫《びまん》していたので、そのために滋幹は否応なしに現実の世界へ呼び戻された」

Whether he wanted to return or not, the smell of putrefying flesh struck his nostrils with a force that brought him back to the real world.

日本文だけ見ているかぎりでは、例えば「鼻を衝く屍臭が」とか「滋幹は」とか、きちんと主語を析出してあって、名詞化、〈もの〉化はかなり徹底しているように思えるかもしれない。しかしいざ英訳と比較してみると、英語では、〈もの〉化がさらにはるかに徹底していることがわかる。

まず、日本語ではせっかく「鼻を衝く屍臭」と、名詞に集約した形に分節化しかかっていながら、それをまた、「——が瀰漫していた」と、情況に密着した表現に逆もどりさせているのにたいして、英語では全体を、「腐敗している肉体の臭いが彼の鼻孔を強く打った」と、例の「動作主＋他動詞＋目的語」の形に明快に整理している。

けれども、英語の〈もの〉指向性が特に鮮明に現われるのは、実はその後だ。この「強く」を、英訳では'forcefully'といった副詞を使うのではなく、'with a force'と、わざわざ「強さで」という、「前置詞＋名詞」の形に分節化する。しかも、この「強さ」が滋幹を現実の世界へ呼び戻した、と、またしても「無生物主語」の構文を使って置きかえ、そしてこれを、さらに関係代名詞で前の文に結びつけているのである。つまり原文は、「屍臭が瀰漫していたので、滋幹は現実に呼び戻された」という形になっているところを、英訳のほうは、「屍臭が、滋幹を現実へ呼び戻す強さで彼の鼻孔を打った」と、名詞（もの）に集約した表現に置きかえているわけだ。

こういう、名詞（もの）を焦点にした分節化の発想は、原文の日本語からはちょっと考えつけないものではないかという気がする。日英語の発想のちがいを、小さな例ながら集約的に反映しているように思えるのだが、最後にもう一つ、「否応なしに」の英訳にも注目しておきたい。

原文の「否応なしに」というのは、これもまた、いかにも情況に密着した〈こと〉的な表現といえるだろう。抽象化、分節化の程度は非常に低い。実際、この句を品詞に分けることさえむつかしいように思える。ただ全体を副詞句と見るほかあるまい。ところが、英訳ではこの一句を、「彼が戻ることを望むにしろ望まぬにしろ」と、きちんと「主語（動作主）＋（他）動詞＋目的語」の形に分節化し、それを接続詞で主文につなぐという手続きを取っている。まさに、われわれが英語の特徴として捉えたこと——ある情況を言語化する際に、その中からなにか個体を実体的な〈もの〉として取り出し、その〈もの〉（名詞＝主語）が、もう一つの、同様にして取り出した別の〈もの〉（名詞＝目的語）に働きかける、という形で構造化するという特徴が、ここでもまた端的に例証されているといえるのではないだろうか。

擬音語・擬態語の豊富なわけ

このように考えてくると、しかし、どうやら〈もの〉的な捉え方と〈こと〉的な発想というのは、おたがいにまったく異質の、相対立する関係にあるというよりは、むしろ、ある出来事なり情況なりを言語化する際、どの程度に抽象化し、概念化するかという、その度合いのちがいによって出てくる差なのではないかと思えてくる。つまり、いっぽうは〈もの〉に注目して〈こと〉を捨て、他方は逆に〈こと〉を取って〈もの〉は顧みないというのではなく、むしろ、〈こと〉をある方向へ概念化し、抽象化し、ないしは分節化してゆくと、〈もの〉と〈もの〉との関係として〈こと〉を捉える捉え方に到達するということなのではないのだろうか。

もしそういうことがいえるとすれば、これは、話はいささか飛躍するようだけれども、大野晋《すすむ》教授が『日本語の文法を考える』(岩波新書)で、日本語の擬音語・擬態語の豊富さに関して述べておられる日本語の「感覚性」ということと、期せずして一致する結論ともいえるのではないかと思う。

大野教授はまず、日本語にはもともと抽象名詞が少ない、あるいは、その造語法にもとぼしいということを指摘した後で、その「ヤマトコトバには抽象名詞が少ないという事実の裏がえしとして、日本語にはオノマトペア、擬音語とか擬態語といわれる表現法が実に多く存在している」という事実に注目する。

例えば、「ポン」という一つのオノマトペアがあれば、

ポン　ポンポン　ポコンポコン　ポトンポトン　ポロンポロン

ボン　ボンボン　ボコンボコン　ボトンボトン　ボロンボロン

というふうに、きわめて組織的に造語が展開する。

英語にも、もちろんオノマトペアというものはある。しかし、とても日本語ほど豊富で

はない。ところが日本語では、擬声音や擬態音が非常に豊富で、その造語法もよく発達しているという事実は、いったい何を意味するのか。

まずものの音の印象を、それに類似する言葉の音で表わす。ポン、ピン、ポンポン、ピンピン、カンカン、ガンガンという擬音語がそれである。次に、ものの状態から受ける印象と、言葉の音から受ける印象との共通に頼る「サラサラした紙」とか、「ザラザラした紙」とかいう擬態語もそれである。この二つの表現法は、言ってみれば、物事を理性的に分析的に表現する、あるいは普遍的な概念によってとらえるというよりも、むしろその物事の全体の形・印象を分析せずに、そのまま一まとめに受けとり、それに感覚的に反応し、感覚上なんらかの脈絡のある言語の音声と結びつけ、物事から受ける感覚をそのまま言語の中に持ちこむという表現方法なのである。(六八ページ)

日本語はある情況を言語化する際、英語ほど徹底して概念化という操作をしないという、われわれが今まで見てきた特徴が、擬音語・擬態語の場合には単語のレヴェルで、集約的に現われているというわけである。

第三章　行動論理と情況論理

1―「無生物主語」の構文

〈もの〉指向と無生物構文

さて今まで、英語は〈もの〉指向性、日本語は〈こと〉指向性という対比を見てくるなかで、「動作主＋他動詞＋目的語」という構文、なかんずく、その「動作主」の位置に人間以外の無生物の入った「無生物構文」というものが、実にしばしばからみあってくるのを経験した。いったい英語の〈もの〉指向性、さらには強い概念化という特徴と、この「動作主＋他動詞」という構文とのあいだには、なにか本質的な関係があるのだろうか。それともこれは、単なる偶然の結果にすぎないのか。この章では、やはりこの問題をはっきり片づけておかなくてはならないだろう。

例によって、今度も具体的な例文の検討から始めたいと思うけれども、今もいうように、すでにこれまで見てきた例文に、この構文の実例は随所に顔を出してきたから、ここで改めてこうした例を再検討し、整理してみることにしよう。その場合、(一) 動作主が人間である場合、(二) 動作主が無生物で、目的語は人間というケース、そして、(三) 同じく無生物が主語ではあるが、目的語もまた無生物、という三つのグループに分けて調べてみるのが便利だろう。

その際、強調構文とか、あるいは関係代名詞がからんでいる例文については、普通の文章の形に転換し、そのほか形容詞や副詞など、構文に特に重要な関係のない部分も取り除いて、できるだけ構文がはっきり現われる形に単純化して見てゆくことにする。

動作主が人間

まず動作主が人間の場合。

（1） The observer, and not the animal, plays the comical part.
「動物ではなく、人間が道化役を演じる」

（2） We made it just the girl.
「お嬢さんだけということにしました」

（3） The millions in Asia get nothing but vegetables to eat.
「アジアの何百万という人々は、野菜以外には食物が手に入らない」

（4） Shigemoto could remember a humming of insects.

「滋幹は、虫が鳴いていたのを覚えていた」

どうやらこのタイプの場合には、少なくとも構文に関するかぎり、基本的な変更は必要がなさそうだ。なるほど、例えば（2）のように、「私たち」という主語を省略するとか、（3）のように、「食物を得られない」を「食物が手に入らない」、さらには「食物がない」といった言いかえができる（ないしは必要な）場合もある。そしてこの（3）のケースは、確かにかなり重要な問題をふくんでもいる。というのもこれは、英語と日本語で「所有」の表現の仕方がちがうという、興味ある問題点に関係があるからだ。

例えば英語なら 'He *has* no children.' というところを、日本語なら「彼（に）は子供がない」と表現する。英語ではまさに「動作主＋他動詞＋目的語」の構文を使うのに、日本語では「子供がない」と、英語なら目的語に当たる「子供」を主語にしたようないい方をする。今の（3）の例の、「何百万の人々（に）は食物がない」（The millions *get* nothing to eat.）と同じ問題をはらんでいるわけだ。

そういえば、今の（1）から（4）までには取りあげなかったけれども、実は今までやった例文の中には――

...if we could *have* the two of them

「お揃いでいらしていただければ」

というのもあった。英語と日本語で、翻訳上、基本的な置きかえの必要なケースだけれども、ここにもやはり'have'が顔を出している。「所有」表現の一種の変形、あるいは展開と見ていいだろう。

この「所有」の表現という問題は、すぐ次の節で、改めてもう少しくわしく考えてみることにしたいが、しかし、ともかく以上の例から見るかぎり、「所有」に類する表現は別として、一般的なケースについては、人間が動作主である場合、基本的に構文を転換する必要はそれほど強くないと結論して差し支えなさそうである。

無生物の主語＋人間の目的語

今度は、動作主の項に無生物が入り、人間がその目的語になっている場合である。

（1） The political bands have connected one people with another.

こういうケースでは、すでに検討したように、構文上、多少の置きかえが必要になる。(a)直訳、(b)意訳に分けて対照してみよう。

(a)「政治的絆が、ある国民を他の国民に併属させてきた」
(b)「政治的絆によって、ある国民は他の国民に併属を強《し》いられてきた」

(2) The Laws of Nature entitle them to a separate station.
(a)「自然法が、彼らに当然の権利として独立の地位を認める」
(b)「自然法によって、彼らは当然の権利として独立の地位を認められる」

(3) The causes impel them to the separation.
(a)「こうした原因が、彼らを独立に駆り立てる」
(b)「こうした原因によって、彼らは独立せざるをえなくなる」

(4) The force of the smell brought him back to the real world.
(a)「その臭いの強さが、彼を現実の世界に引き戻した」

(b)「その臭いがあまりに強かったので、彼は現実の世界に引き戻された」

どうやらこのタイプでは、経験的に、次のような原則が引き出せるのではあるまいか。

(一) 無生物主語は、日本語でもそのまま主語に訳すよりは、原因、理由を表わす副詞句(節)に置きかえたほうがよい。

(二) 目的語の位置にある人間は、日本語ではむしろ主語に置きかえ、その代り、動詞を受身の形に改めるか、ないしは受身に類する表現に変えたほうがよい。

要するに、物が人間になにかを働きかけた、という英語流の表現は、日本語なら、ある物が原因としてあったために、その結果、人間がなにかをせざるをえなくなった、といった表現にしたほうが、日本語としては自然だということだ。

いずれにしても、結果として、やはり人間を主語の位置に置くという点は、第一の動作主＝人間の場合と共通している。

無生物の主語＋無生物の目的語

さて最後は、無生物の主語が無生物の目的語を取っているケース。

(1) Sparse hair makes the wish to be like other people impossible.
(a)「薄い髪は、他人と同じでありたいという願望を不可能にする」
(b)「髪が薄いと、他人と同じでありたいという願望は不可能になる」

(2) The mere fact of looking different causes disdain.
(a)「他人とちがっているという単なる事実が、他人の軽蔑を生む」
(b)「単に他人とちがっているというだけで、他人に軽蔑される」

(3) A respect to the opinions of mankind requires the declaration of the causes of the separation.
(a)「人類の輿論にたいする配慮が、独立の原因の宣言を要求する」
(b)「人類の輿論に配慮すれば、独立の原因を宣言することが必要となる」

(4) A humming of insects suggested the autumn.
(a)「虫の声が、秋であったことを思わせた」
(b)「虫が鳴いていたので、秋であったように思えた」

この場合も、先ほどの二番目のタイプと同じように、無生物主語はそのまま主語に訳すのではなく、副詞句（節）に置きかえたほうがよさそうだ。もう少しくわしく見ると、「XであるAが」、「XというAが」、「XのAが」といった複合的な形になっている時には、「AがXであれば」とか、「AがXしていたので」とか、条件や原因を表わす副詞節に読みかえるのがよい。

さて、次に無生物目的語の部分も、特に「BをYにする」とか、「YであるBを生む」とか、複合的な形になっている時は、（「AがXであれば、であるので」）「BはYになる」という形に置きなおすことができそうに見える。これをさらに単純化して、あえて一般的な公式の形にまとめるとすれば——

（英　語）「XであるAがBをYにする」

（日本語）「AがXであればBがYになる」

という対比が成り立つのではあるまいか。

「する」と「なる」

ところで「動作主＋他動詞＋目的語」という構文は、すでに前にも触れたとおり、英語で特に好まれる表現の形式である。このことは、われわれが今まで見てきた例――なかんずく『千羽鶴』や『少将滋幹の母』の英訳などからしても、やはり確かなことのように思える。日本語では、「動作」というような能動的な要素は影も形もない場合でも、英訳では、好んでこの「動作主＋他動詞」という構文が使われていたからである。そして実際、われわれが〈もの〉的、〈こと〉的という対比を通じて達した一応の結論も、日本語は情況全体を〈こと〉としてまるごと捉えようとするのにたいして、英語の発想ではそこに〈もの〉を析出し、その〈もの〉が、もう一つの〈もの〉に働きかけるという、まさしく「動作主＋他動詞＋目的語」の構文にまとめあげるのにふさわしい捉え方をするということだった。

ということは、つまり、日本語は、情況がおのずからそう「なる」といった捉え方をするのにたいして、英語では、〈もの〉が他の〈もの〉をある新しい状態に「する」という捉え方をする、といいかえることもできるのではないか。

この節で、「動作主＋他動詞＋目的語」という構文を改めて検討した結果から見ても、この推測は裏付けを得ているように思える。この構文を日本語に訳す場合、いちばん大きな転換が必要になってくるのは、無生物が主語であり、目的語も無生物という、三番目のタイプだった。このタイプの時、日本語と英語の表現・発想のちがいが、いちばん鮮明に現われてくるのである。ところで、このケースで必要な転換を、英語では「XであるAがBをYにする」、日本語では「AがXであればBはYになる」と公式化できるとすれば、〈もの〉的、〈こと〉的という観点から今まで見てきたことを踏まえて、英語は〈もの〉的であると同時に〈する〉型の捉え方をするのにたいして、日本語は〈こと〉的な捉え方であると同時に〈なる〉型の発想を特徴とすると、一応はそう結論できるかもしれない。

しかし、それならなぜ、「一応は」などと歯切れの悪い言い方をするのか。われわれが今見たばかりの現象と、少なくとも部分的には、矛盾する点が残っているからである。つまり、同じ「動作主＋他動詞＋目的語」の構文でも、主語が人間である場合は、翻訳上、基本的な転換は必要がなかった。考えてみれば、これはごく当然のことだけれども、人間がなにかを「する」のなら、日本語でもごく普通の、自然な表現でしかないのである。いったいこの点はどう考えればいいのだろうか。

人間中心主義について

読者もすでにお気づきのことかとも思うが、この〈する〉と〈なる〉という対比も、

〈もの〉と〈こと〉の対比と同様に、実は池上教授が、タイトルもまさにそのものずばり、『〈する〉と〈なる〉の言語学』で提出しておられる命題である。

池上教授は、まず第一の仮説として、第二章でわれわれも検討した〈もの〉指向性と〈こと〉指向性という対照を挙げ、そして第二の仮説として、今問題にしている〈する〉と〈なる〉の対比ということを挙げておられる。というのも、人間がもっとも関心を集める〈もの〉はといえばやはり人間であり、その中でも特に、自分の力で他の〈もの〉に働きかけている人間――つまり「動作主としての人間」である。そこで、〈もの〉指向性は、同時にまた「人間中心主義」、〈する〉指向性にもつながるとして、この第二の仮説が導き出されてくるのである。つまり――

言語外的な出来事が言語によって表現される場合、(1)その出来事に関与して〈動作主〉として行動する〈人間〉に注目し、それを特に際立たせるような形で表現を構成する傾向、(2)その出来事を全体として捉え、そこに〈動作主〉として行動する〈人間〉が関与していても、なるべくそれを際立たせないような形で表現を構成する傾向がある。英語は(1)の傾向が顕著な言語であり、日本語は(2)の傾向が強い。(大修館書店『日英語比較講座』第四巻所収、「表現構造の比較」七三ページ。なおこの論文は、『〈する〉と〈なる〉の言語学』のエッセンスをスケッチしたもので、池上教授の

理論全体の輪郭を手早く知るには、こちらのほうが便利かもしれない）

そして英語では、この「人間中心主義」の傾向があまりに強いために、典型的には人間が主語になるはずの「動作主＋他動詞」の構文が、無生物を主語にした場合にまで拡大されて、いわゆる「無生物主語」の構文がひろく用いられることになる、というのである。

（同一〇一ページ参照）

確かにこの仮説は、われわれが今まで見てきた現象を、部分的には非常に的確に説明してくれる仮説ではある。しかし先ほども触れたとおり、部分的には、われわれの観察の結果と微妙にくいちがう面もあることは、やはり見逃がしてしまうわけにはゆくまい。

第一に、同じ「動作主＋他動詞＋目的語」の構文といっても、人間が主語の場合は、なるほど「所有」の表現については池上説がぴったり当てはまるけれども、一般的なケースについては、日本語にそのまま移しかえても大きな違和感はない。だとすれば、英語だけが、特に人間に注目しているとはいえないのではないか。

第二に、日本語との差がはっきり現われるのは「無生物主語」のケースだけれども、その場合、先ほどの第二のタイプ（つまり、目的語が人間になっているタイプ）では、日本語なら人間を主語に想定した形に改めたほうがすわりがいいという現象があった。なるほどこの人間は、動作主としての人間ではない。むしろ受身の立場にある人間である。けれども、人間を主語にしたほうが自然だということは、やはり、一種の「人間中心」的発想といえるのではないのだろうか。

そういえば、こうした受身型の、一種の「人間中心主義」は、実は第三のタイプ、つまり「無生物の主語＋無生物の目的語」の場合にも見られるような気がする。例えば（2）で——

(a)「他人とちがっているという単なる事実が、他人の軽蔑を生む」

(b)「単に他人とちがっているというだけで、他人に軽蔑される」

この(b)の「軽蔑される」というのは、やはり主語として人間を想定しているのだし、同じように（4）の例でも——

(a)「虫の音が、秋であったことを思わせた」

(b)「虫が鳴いていたので、秋であったように思えた」

と、(b)は、やはり人間を主語に想定した形になっていた。

それればかりではない。こう考えてみると、（1）の「他人と同じでありたいという願望も不可能になる」という訳文さえ、「他人と同じでありたいと願ってもそうはできない」と、人間を主語にした形にいいかえることができるし、同様にして（3）の、「独立の原因を宣言することが必要になる」というのも、「宣言しなければならない」といいかえることができる。

そういえば、前の章で関係代名詞の処理を検討した時にも、主語を人間に置きなおしたほうが、日本語として自然な表現になるという結論が出てきたし、「動物の行動を研究していると、滑稽な場面によく出くわす」という例でも、やはり同じ現象に注目した。さらにはまた、『千羽鶴』の例でちょっと触れた待遇表現にしたところで、主語として人間が想定されているからこそ、敬語や謙譲語を使うことができたわけである。

「働きかけ」の発想

このようにふり返ってみると、どうやら日本語は、なるほど「動作主としての」人間中心主義ではないかもしれないけれども、別の意味では、かえって英語よりも人間中心の発想をするということがいえるのではないか。

別のいい方をするなら、英語はかならずしも、動作主としての人間を中心にするのではなくて、主語が人間であろうと無生物であろうと、ある情況なり出来事なりを捉えるのに、〈もの〉が〈もの〉に動作主として働きかけるという、「働きかけ」という関係、原因・結果という関係に従って概念化する、むしろそれが特徴だと考えることもできるのではないのだろうか。さらに別のいい方をするならば、〈する〉と〈なる〉という対比は確かに存在しているように思えるけれども、それはかならずしも、どの程度「人間」を際立たせるかという問題ではなくて、むしろ、〈こと〉をどの程度〈もの〉の働きとして概念化するか、その程度の差によって生まれてくる対照ではないかと考えられるかもしれない。

この点を確認するためには、しかし、池上教授の仮説を、もう少しくわしく見ておく必要がありそうである。

2―動作主としての人間・感受する人間

所有の表現

英語が「動作主としての人間」をいかに際立たせるか、その具体的な例として、池上教授はまず、英語の「所有」の表現を日本語と対比しておられる。

例えば、「ある男に子供が二人いる」ということを表わすのに、英語では 'have' という「所有」を表わす他動詞を使って――

John *has* two children.

と、例の「動作主＋他動詞＋目的語」という構文にまとめるのにたいして、日本語ではもちろん――

「太郎（に）は子供が二人ある（いる）」

と、本来は「存在」を表わす動詞「ある」、「いる」を使って表現する。

このちがいをもう少しくわしく見てみると、日本語では、所有者であるはずの太郎という人間は、「太郎には」と、子供の存在する場所として捉えられているにすぎない。ところが英語では、人間を表わす項が主語の地位に据えられ、文全体を文法的に支配する役割を与えられている。いっぽう、存在物である「子供」のほうは、「所有する」という他動詞の目的語になって、人間の所有の対象物として捉えられている。この点、日本語では、「子供がある（いる）」と、対象物のはずの「子供」が、逆に主語の形になっているのとはまったく対照的である。

　このような対比をつうじて池上教授は、英語のほうが日本語より、「〈人間〉的な特徴を持つ項をより高い程度に顕在化している」とされるのである。（『〈する〉と〈なる〉の言語学』七三ページ）

　確かに、「太郎が子供を二人持っている」という表現の仕方は、「太郎には子供が二人ある」という表現にくらべて、「太郎」という「所有者としての人間」を、はるかに強く際立たせた表現だとはいえるかもしれない。けれどもこれは、少し視点を変えてみれば、先ほどからいうとおり、「人間」を際立たせているというよりは、むしろ、「所有」という「働きかけ」の関係そのものに焦点を当てたいい方だとも解釈できるのではないか。つまり、「太郎のところに子供が二人いる」ということを、そのまま〈こと〉として捉えるのではなく、「太郎という〈もの〉が子供という〈もの〉を持つ」と、「働きかけ」という軸にそって概念化した結果だと見ることもできるのではないか。だから、あえていえば、所有者は別に人間でなくてもいいのである。

人間中心主義の矛盾

その証拠に、英語では人間以外の物についても、同じ形でこの「所有」の表現を転用することができる。例えば――

This room *has* two windows.
「この部屋には窓が二つある」

この場合も、文章の構造は先ほどの例とまったく同じで、英語では、「この部屋が、窓を二つ持っている」という形で表現しているわけである。

こういう現象が起こるのは、〈人間〉の項をより高い程度に顕在化しているからというよりも、むしろ、〈こと〉の中から、〈もの〉が〈もの〉にたいして働きかける、その「働きかけ」の関係そのものに注目し、その軸にそって概念化するからだと考えたほうが、やはり自然なのではないだろうか。

けれども池上教授の解釈では、この「所有」表現の転用という現象自体、むしろ〈人間〉の項の強調の結果だということになる。つまり、「所有」という概念は、本来は「人間」という項を介してはじめて可能であるはずなのに、英語では have を使った「所有」の表現形式が強固に確立しているから、「人間」の項が関与しない、単なる「存在」関係を表現する場合にまで、この人間的な「所有」表現のパターンが拡大して適用される。そこで'This room *has* two windows.'という表現が出てくると考えるのである。

ところが日本語では、「太郎には子供が二人ある」とか、「この部屋には窓が二つある」とか、本来は「人間」の項を介さない「存在」の表現形式が、人間的な「所有」の表現にまで転用される。これと対照してみれば、非人間的な「存在」にまで人間的な「所有」の表現を持ちこむ英語は、それだけ「人間」の項を際立たせるという特徴を示していると解釈できるというのである。(『日英語比較講座』IV・八九ページ参照)

しかし翻って考えてみると、英語は「人間」の項を強調する特徴が強いから、これを無生物にまで拡大するというのは、多少、矛盾のようにも思えなくもない。

John has two children.

This room has two windows.

という二つの文章に共通しているのは、「所有」という働きかけの関係そのものであって、別に「人間」の項ではない。発生的には、後の表現は前の表現の拡大として出てきたものだとしても、それはかならずしも、「人間」的な項をさらに拡大したからではなくて、やはり、「所有」という関係の概念化を、無生物の場合にまで拡大した結果ではないか。つまり、「動作主としての人間」を拡大、適用したのではなくて「動作主としての人間」を拡大しているのであり、その「動作主性」そのものを拡大した結果なのではないのだろうか。

もしこう考えることができるとすれば、結局、日本語と英語の表現の差は、どれだけ人間中心主義が進んでいるかということではなく、「動作主性」、「働きかけ」として情況を概念化する、その概念化の強度の差によって生まれているということになる。そして、このように捉えなおしてみたほうが、われわれが今まで本書で見てきた事柄とも、もっとうまく合致するといえるのではないかと思う。

情況とのかかわりを認識する者

どうも、どうでもいいような細かいことを、ことさらクドクドと言い立て、いたずらに異を唱えているようで、実はいささか気がひけるのではあるけれども、しかしやはり、「英語は日本語より〈人間〉の項を際立たせる」というのは、われわれがこれまで観察してきた結果とは多少くいちがってしまう命題なので、むしろ仕方なくこだわっているのである。

例えば敬語の問題ひとつ取ってみても、ある意味では、そもそも待遇表現というもの自体、すぐれて人間中心的な発想にもとづいているといえるのではないか。もちろんこの場合の「人間」というのは、第一義的には「動作主としての人間」――つまり、他の人間や情況に「働きかける」人間ではない。だが人間の「人間らしさ」は、別に「働きかけ」という点だけにあるとは限らない。他の人間、あるいは情況とのかかわり方を「認識する」人間というものもある。敬語はまさにこれではないか。

さらにはまた、前の章の最後で触れた擬音語・擬態語の問題もある。もし擬音語・擬態語というものが、外界が人間に与える印象を、そのまま感覚的に言語化するものであるなら、これもまた、「感受する人間」の反応をそのまま表現するという意味で、やはりある種の人間中心主義だといえなくもないのではないか。

こうしてみると、英語は人間の項を際立たせる特徴があるという命題は、人間の「人間らしさ」が「動作主性」にあるという前提に立って、はじめて成り立つ命題ではないかと思えてくる。つまり英語が人間中心主義であるとすれば、それは英語が人間を、まず動作主として、情況に働きかける主体として捉えているからだということになる。けれども人間には、情況に反応する者、情況とのかかわりを認識する者としての「人間らしさ」もあるはずで、そして日本語は、まさにそのような意味で人間中心主義なのではないか。

そういう想定を一応立ててみた上で、後もう少し、池上教授の説かれるところを追ってみよう。英語が「動作主としての人間」を際立たせるという特徴を例証するものとして、教授はさまざまの現象を挙げておられるが、ここでは特に、〈使役〉の表現を取りあげてみる。

使役表現の比較

英語の使役表現についていえることは、歴史的に、〈使役主の支配〉を強調し、〈被使役者の自主性〉がしだいに弱まってゆく傾向が顕著だということである。

古英語では、使役動詞の代表的なものは do で、これが that によって導かれる節を従え、'do that...' という構文を作った。これで、「Xが〜をして、その結果……となる」という意味内容を表わしたわけである。ここでは使役といっても、〈使役主の支配〉はまだそれほど強くはないし、被使役者のほうも、まだ「……ということ」と、出来事として表わされているにすぎない。

ところが中英語になると、do に代って make が代表的な使役動詞になる。この動詞は本来、'make Y of X'（XからYを作る）という形で使役の意味と結びついていたのだが、「XからYを作る」→「XをYにする」という意味の展開をとげ、形式もそれにともなって 'make X to Y' という形に変化する。この to は、しだいに慣用として落ちることになり、結局 'make X Y' という形式に定着する。このYの項に不定詞が入れば、「XにYをさせる」という、今日の使役の用法が出てくるわけである。

このプロセスを、〈使役主の支配〉と、〈被使役者の自主性〉との相対的な力関係という観点から見ると、被使役者は、最初は 'of X' と、変化の起点として表現されており、ある程度の自主性をもっているけれども、後になると目的語の位置に置かれて、使役動詞の支配を直接受けることになり、完全に〈使役主の支配〉のもとに入ってしまう。

〈使役主の支配〉が強まるという現象は、個々の使役動詞の意味の変化にも認められる。例えば let は、もともとは「Xに〜することを許す」という意味だった。同じように使役動詞としての have も、本来は「Xに〜してもらう」という意味で、被使役者にある程度の自主性を許す表現だった。ところが現在では、have も let も、なお元来の意味を残してはいるものの、make と同様、被使役者を完全に支配下に置く情況でも使われるようになっている。ここにもまた、〈使役者の支配〉の強化と〈被使役者の自主性〉の減少という、同じ現象が見られるわけである。

これにたいして、日本語の使役表現はどうだろうか。

まず気がつくのは、いわゆる「ヲ使役」と「ニ使役」の区別である。

次郎ヲ行カセタ

次郎ニ行カセタ

この場合、「次郎ヲ行かせた」なら、有無をいわせず行かせたという感じで、〈被使役者の自主性〉は非常に低いが、「次郎ニ行かせた」なら、次郎が同意した上で行くという感じになる。つまり〈被使役者の自主性〉がもう少し高くなるわけだ。さらに——

次郎ニ行ッテモラッタ

となると、〈被使役者の自主性〉はさらに高くなるし、これがもっと高い場合として——

次郎ニ行カレタ

という、いわゆる「受身」の表現が考えられる。こうなると、〈使役者の支配〉はまったく〈被使役者〉には及ばない。

このように見てくると、〈使役主の支配〉と〈被使役者の自主性〉という二つの項の間の不等関係に従って、次のような段階が想定できる。

(1) 使役者の支配 ≪ 被使役者の自主性
「太郎ハ次郎ニ行カレタ」

(2) 使役者の支配 ＜ 被使役者の自主性
「太郎ハ次郎ニ行ッテモラッタ」

(3) 使役者の支配 ＞ 被使役者の自主性
「太郎ハ次郎ニ行カセタ」

(4) 使役者の支配 ≫ 被使役者の自主性
「太郎ハ次郎ヲ行カセタ」

これを英語の使役表現と対比してみると、英語では、構文の歴史的な展開から見ても、個々の動詞の意味変化からしても、(4)の、〈使役主の支配〉が最大のケースに集中する傾向がいちじるしい。ところが日本語の使役表現は、〈使役主の支配〉がもっと低い段階にまでひろがっており、極端なケースとしては、「受身」の場合すらふくまれていることが注目される。(『日英語比較講座』Ⅳ・九六—九九ページ参照)

動作主性の拡大

この分析は実に興味深いし、示唆するところも非常に大きいけれども、しかしこれを、英語は人間の項を強調するという特徴の例証とするのは、やはりかならずしも適当ではないかもしれない。英語では〈使役主の支配〉が強化される方向に変化してきたというのは、別に「人間」の項を強化してきたということではなく、むしろまさに「支配」という働きそのものが強化されたということであり、「働きかけ」、「動作主性」の軸にそって、概念化が進んできたのだと理解するほうが、現象の説明の仕方としては、やはり自然なのではないだろうか。

この概念化をさらに推し進めてゆくと、「動作主性」を無生物主語にまで拡大して、例えば 'What made her do so?'「何が彼女をそうさせたか」といった表現まで可能になってくる。典型的な「無生物主語」の構文だが、これもまた、先ほど 'This room has two windows.' という例について述べたのと同じように、「人間」の項を際立たせる特徴の現われと見るよりも、「動作主性」自体を転移した結果と考えるほうが自然だろう。

これにたいして日本語の使役表現は、こうした方向に概念化するのではなく、今の例でいえば、「太郎」という人間が「次郎が行く」という情況とどういう関係にあるか、そのかかわりのありように注目し、さまざまの関係に即して表現する体系をもっている点が特徴的だといえるのではあるまいか。

無生物主語の場合も同じようなことがいえると思う。日本語ではあくまで人間を主体にして、「彼女はなぜそんなことをしなければならなかったのか」、あるいは、「彼女はどんな事情でそうせざるをえなかったのか」といった形に置きかえなければならない。これはつまり、彼女という人間と、そんなことを強《し》いられたという情況との関係を言い表わした表現だと見ることができるのではないだろうか。

因果律の英語、情況との関係の日本語

この観点から、われわれが前の節で、無生物主語の構文について経験的に引き出した結論を改めてふりかえってみると、すでにあの時、実は同じような現象に着目していたのだということに気がつく。

あの時、無生物主語の構文を訳す原則として、「ある物が原因としてあったために、その結果人間がなにかをせざるをえなくなった」という形に発想を改めればよいという結論を引き出したわけだが、これもつまりは、情況にたいする人間の関係を表わしたいい方にほかならない。英語では、「動作主性」の軸にそって概念化する傾向が強いから、動作主の観念を無生物にまで拡大して、〈もの〉が他の〈もの〉（人間であろうと物であろうと）に

働きかけ、ある情況を作り出したと、情況を因果律的に解析して捉える。けれども日本語では、情況に反応する人間に密着した視点でものを見る傾向が強いから、ある情況が原因、ないしは条件として存在し、その結果として、人間はなにかをせざるをえなくなったと、全体を、情況と人間との関係のあり方として捉え、表現するのである。

こう整理しなおした上で、あの時の例文を改めて読みなおしてみると、今の説明が確かに具体的に裏付けられるように思う。例えば――

(a)「その臭いの強さが、彼を現実の世界に引き戻した」

(b)「その臭いがあまりに強かったので、彼は現実の世界に引き戻された」

あるいは――

(a)「他人とちがっているという単なる事実が、他人の軽蔑を生む」

(b)「単に他人とちがっているというだけで、他人に軽蔑される」

さらには――

(a)「人類の輿論にたいする配慮が、独立の原因の宣言を要求する」

(b)「人類の輿論を配慮すれば、独立の原因を宣言することが必要となる」

の場合も、かならずしも後半を、「宣言しなければならない」と、直接に人間を主体にした言い方に改めなくても、すでに、「宣言することが必要となる」という表現自体、人間の立場から見て、その情況がどういう意味をもっているか、情況との関係を表わす表現になっているという点では変りはない。

無生物主語や使役の場合ばかりではない。所有の表現についても同じことがいえそうである。先ほどの――

「太郎は子供が二人いる」

という例も、「太郎」という人間と、「子供が二人いる」という情況との関係を述べた表現だと見ることができる。つまり、例えば「太郎は次郎に行かれた」とか、「太郎は次郎に行ってもらった」という文が、いずれも「太郎」という人間と、「次郎が行く」という情況との関係のあり方を述べた表現であるというのと、同じパターンであると見ることができると思うのである。

日本語への検証

さて、いささか瑣末《さまつ》に見えるかもしれない問題にこだわってきたおかげで、ややたどたどしい足どりではあったけれども、日本語と英語のかなり基本的な発想のちがいが、おぼろげながら見え始めるところまでたどりつけたような気がする。

英語は情況を捉えるのに、〈もの〉の動作主性に注目して、因果律的に解析し、概念化してゆく傾向が強いのにたいして、日本語は情況をまるごと〈こと〉として捉え、その〈こと〉と人間とのかかわり方を、人間の視点に密着して捉える傾向が強い。

けれども、われわれがもっぱら経験的にたどりついたこの一応の結論が、はたして日本語全体にどの程度あてはまるのか、このままでは自信がもてない。なんとかこの点を、もう少し確実に検証しておく方法はないものだろうか。

そのためにはたぶん、まず日本語の「主語」というものの性質を、英語の場合と比較してみるのが有効だろう。というのも英語では、〈もの〉の動作主性を抽出する傾向からして、動作主を主語に立てる構文法がひろく見られる。例えば「所有」の関係を表わすにしても、先ほどから繰り返して見てきたとおり——

「太郎は子供を二人持っている」

という表現をする。けれどもこれを——

「太郎は子供が二人いる」

という、日本語式の「主語」とくらべてみると、この「太郎」は、文章の後につづいている部分にたいして、英語の主語とはかなりちがった関係にあることは明らかだろう。

次の節では、こういうことを頭に置きながら、まず日本語と英語の「主語」のちがい、さらには、これに応じる述語の性質のちがいを考え、日本語の特性を、もう少し一般的な形に押しひろげて検討してみなければならない。

3――日本語に主語はいらない

助詞の働き

まず、日本語で主語を表わすはずの助詞、「は」について考えてみなければならない。

われわれは英語を習い始めたころ

I am a boy.
This is a pen.

といった文章を

「私は少年です」
「これはペンです」

と訳すことを覚える。そこでつい、「は」という助詞は、英語流の主語を表わすものと思い込んでしまいがちである。けれども、例えば次のような文章を考えてみると、「は」がかならずしも主語を表わすものではないことは、すぐに気がつくことである。

お金は、教室の花を買うのにいるのです。

花は、彼が折ったにちがいない。

姉は、去年子供ができた。

会場は、余興が始まっていた。

もしこれを、英語流の主語＝述語に対応するような形にまとめなおせば、次のようなことになるだろう。

教室の花を買うのにお金が必要である。

彼が花を折ったにちがいない。

去年姉に子供が生まれた。

会場で余興が始まっていた。

つまり「は」は、主語や目的語に相当するはずのものを表わす場合もあれば、単に、あることの起こる場所を示すにすぎない場合（つまり、英語なら副詞句に相当するはずの場合）もありうるのだ。

それなら、いったい「は」という助詞は何を表わしているのだろうか。

実は今の例文は、北原保雄氏の『日本語の文法』（中央公論社「日本語の世界」6）から拝借したものだけれども、ここで北原教授は、文法学者三上章の説を援用しながら、「は」の機能は主語を示すことではなく、「主題」を提示することだと述べておられる（二三七―三八ページ）。つまり「は」は、文章の中のほとんどどんな部分でも取り出して、これを文頭に移し、その部分を文全体の主題、題目として際立たせる働きをするのである。

もう少しくわしくいうと、三上章は、西洋語における主語＝述語関係に相当するものとして、日本語には題述関係（Topic-Comment relation）というものが、基本的な文構成の形式として存在すると考える。というのも、西洋語の「主語」は、例えば後につづく動詞の活用を支配するなど、文法的に明確な特権をもち、文全体を統括する働きをするけれども、日本語には、正確にこれに対応するような主語＝述語の関係は認められない。日本語の基本的な構成は題述関係であって、文の中の「Xガ」「Xヲ」「Xニ」「Xデ」などの部分が取り出されて文頭に移され、「は」によって主題化される。そして残りの部分は、この主題にたいするコメントという形で述部を形作るというのである。

もしこのように考えることができるとすれば、これは、われわれが先ほど、「太郎は子供が二人いる」、「太郎は次郎に行かれた」といった例文について考えたことと、よく合致する見方だということがわかる。つまり、これは「太郎」を主題として、その「太郎」が、「子供が二人いる」とか「次郎が行った」とかいう情況とどのような関係にあるか、コメントした表現だということになるわけだ。

時枝文法と「入れ子型構造」

それはともかく、「は」が主語を示すのではないとしたら、ほかの助詞、例えば「が」はどうなのだろうか。

しかしそもそも、今も見たように三上章は、日本語には「は」で示そうが「が」で示そうが、もともと西洋語でいうような主語というものはないのだと考えていた。そして実際、文法的にも意味論的にも文全体を支配し、統括する西洋語流の主語（したがって、例外的な省略は別として、原則としていつでも文がそなえていなければならない主語）など、日本語には本来存在しないと考えるという点では、文法学者の意見はほぼ一致しているらしいのである。

例えば時枝誠記《ときえだもとき》は、日本語には今いうような意味での主語はなく、むしろ主語はもともと述語の中にふくまれているのであって、必要に応じて取り出される程度のものでしかなく、けっして、文法的に特権的な地位を与えられているようなものではないと説く。

時枝文法によると、文は「詞」と「辞」が結合して作られる。「詞」とは、事物、事柄を客体的、概念的に表現した言葉で、名詞、代名詞、動詞、形容詞などがこれに入る。これにたいして「辞」というのは、表現される事柄にたいする話し手の立場を直接表現するもので、助動詞、助詞、接続詞などがふくまれる。

　具体的にいうと、例えば「静かだ」という文は、「静か」という詞と、この客体化された事柄にたいする話し手の判断、感情を直接的に表現した「だ」という辞が結びついて、はじめて一つのまとまりを持った思想の表現になる。つまり、ただ「静か」という客観的な詞だけでは、宙ぶらりんに概念が投げ出されているにすぎないけれども、これが「だ」という、話し手の主観を表わす辞によってつなぎとめられ、包みこまれることによって、はじめて具体的な一つの発言になるというわけである。

　この構造を時枝文法では、独特の「入れ子型構造」という概念を使って、次のように図式化する。

「静か」という詞を、「だ」という辞がふろしきのように包みこみ、結び目を作るのだともいえるだろうか。

ところで、文はいつでもこんな簡単な形をしているわけではもちろんない。例えば「波が静かだ」と、「静か」の主格に当たるものがつけ加えられることもある。こういう場合は、図式はこんなふうになる。

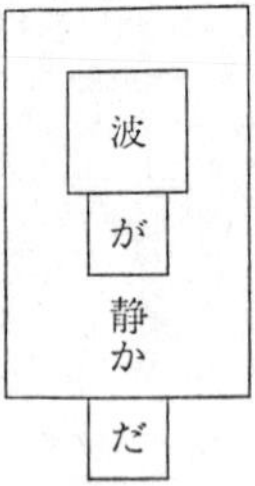

つまり、まず「波」という詞に「が」という辞がついて、一つの句を構成する。次に、この句(「波が」)がまた一つの詞を構成して、これを「だ」という辞が包みこむ、と解釈するのである。「入れ子型構造」と呼ばれるゆえんだ。

述語がすべての統括者

さて、こういうことを踏まえた上で、時枝は主語について、非常に興味ある結論を引き出してくる。

国語においては、主語は述語に対立するものではなくて、述語の中から抽出されたものである。国語の特性として、主語の省略ということがいわれるが、右の構造から判断すれば、主語は述語の中に含まれたものとして表現されていると考えるほうが適切である。必要に応じて、述語の中から主語を抽出して表現するのである。それは述語の表現を、さらに詳細に、さらに的確にする意図から生まれたものと見るべきである。(『日本文法・口語篇』岩波全書、二二六ページ)

それればかりではない。述語にたいする主語の関係をこのように理解すると、「主語は、述語の連用修飾語と本質的に相違がないもの」であり、「国語においては、主語は述語の修飾語と見ることができる」という、意表をついた結論が出てくる。

いや、述語の修飾語と見なければならないのは、単に主語ばかりではない。「国語においては、主語、客語〔目的語〕、補語の間に、明確な区別を認めることができない。……すべて述語から抽出されたものであり、述語に含まれるという構造関係において全く同等の位置を占めている。」(二二九ページ)

例えば——

私は六時に友人を駅に迎えた。

という文章で、「私」「六時」「友人」「駅」という成分は、すべて「迎える」という述語にたいして同じ関係に立っている。

その点ヨーロッパ諸言語が、主語と述語との間に不可分の関係が結ばれて、他の文の成分とは全く異なった関係にあるのとは異なる。(同ページ)

要するに、主語も目的語も連用修飾語も、すべては述語を母胎とし、述語を補充するために抽出されたものにすぎず、そしてすべてはふたたび述語によって統括される、というのである。

英文法流の分析の仕方に慣れた者の目からすると、こうした考え方は、最初はかなり異様に映るかもしれない。けれどもこうした考え方は、けっして時枝文法だけの特異な発想ではないらしい。例えば先ほども引いた北原教授の『日本語の文法』も、時枝説をはじめ、これまでのさまざまな文法理論を批判的に検証した上で、文の成分分析の新しいモデルを提示しているが、しかしやはり、基本的には時枝説と同じ分析方法が取られている。つまり、主語も目的語も修飾語も、すべて述語から抽出されたものであり、補充=統括の関係によって、それぞれが対等の資格で述語と結ばれているのであって、主語だけが特別重要な関係にあるわけではない、と考えるのである。

例えば——

太郎が　次郎に　花子を　紹介する。

という文でいうと、「太郎が」は主格の関係で「紹介する」と補充=統括の関係にあり、同じように「次郎に」は与格の関係、「花子を」は目的格の関係で、それぞれ個々に「紹介する」と補充＝統括の関係にある。

これを図示すると——

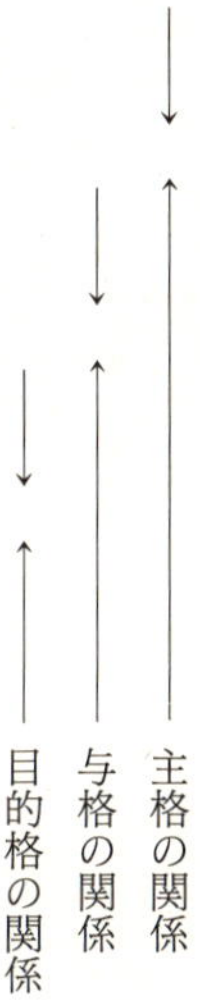

太郎が　次郎に　花子を　紹介する。

ということになる。この場合、なるほど主格の関係が最も上位（外側）に位置しているから、主語＝述語の関係になっているように見える。しかし主格の関係は、あくまでも補充＝統括の関係の一つなのであって、与格や目的格の関係よりは上位（外側）に位置するが、時格や場所格の関係よりは下位（内側）に位置し、述語と特別な関係にあるようなものではない。（二二四―二五ページ）

要するにここでもまた、述語がすべての母胎であり、統括者であると考えられているのである。

情況埋没型

それにしても、しかし、こうして文法学者たちの語るところを聞いてみると、今までわれわれが経験的、断片的に観察してきたことが一つ一つ裏付けられ、日本語の文章構成法の基本的な枠組の中に位置づけられてゆくのに気がつくのではあるまいか。例えば、日本語は動詞中心であるということ、動詞や助動詞によって敬語・謙譲語が活用されるために、主語は表に出す必要はないということ、あるいは、日本語では重要な情報は文末にくることなど、第一章や第二章で、翻訳のプロセスを通じて手さぐりで見当をつけてきたことが、以上のような文法学者の分析を読んでみると、それなりに確かな根拠のあったことがわかるのである。

実際、日本文の成分が述語によって統括され、しかもその後に、さらに助動詞などの「辞」が置かれて、はじめて一つの具体的な発言として締めくくられるのであれば、この構成法は、主語（なかんずく動作主としての主語）が文頭にきて、文法的にも意味論的にも文全体を統括する英語の構文法とは、まさしく対照的ということになる。牧野成一氏はこの対照を空間論の立場から、たくみな比喩を使ってこう説明しておられる。

日本語の語順は伝達内容の核心をいわば至聖所《サンクチュアリ》とする構造で、話し手は——従って聞き手も——しだいに至聖所に近づいて行く。ところが英語の場合は、話し手ははじめから至聖所に立っていて動かないで、全体のパースペクティヴを持っている。日本語の場合は内の内なる至聖所へ動いて行くという空間移動があり、〔これにたいして〕英語では、一歩入った所で止まり、そこから全体の眺望が得られる。話し手の視点が固定する傾向が非常に強い。(『ことばと空間』東海大学出版会、四ページ)

さらにはまた、日本語では主語も目的語も必要に応じて述語から抽出されるにすぎず、かならずしも表に出す文法的義務はないとすれば、日本語の動詞の意味そのものも、まずは行為を意味する英語の動詞とはかなりちがったものにならざるをえない。行為の主体を表わすはずの主語も、行為の対象を表わす目的語も動詞の中に吸収されてしまえば、池上教授もするどく指摘しておられるとおり——

動詞によって表示される行為そのものが、行為の主体も行為の対象もいわばその中に融解してしまったような形で提示されるということになる。そのような形で提示された行為は、もはや〈行為〉(action)というよりは、〈過程〉(process)とでも呼ぶほうがふさわしいと思われるようなものであろう。'action'という語は、英語の話し手にとってはまず第一に他にたいする働きかけを想像させる。一方、日本語の「行為」

は、他にたいする働きかけの意味合いは薄い。〈する〉というのは、まず第一には自動詞的なものとして捉えられているようである。(『〈する〉と〈なる〉の言語学』二七三ページ)

これはまさに、英語は「動作主性」、「働きかけ」の軸にそって概念化の度合いが高いのにたいして、日本語はこの度合いがはるかに低く、情況密着型、さらにいうなら情況埋没型であるという、われわれが経験的に達した結論とぴったり一致する指摘といえるのではないだろうか。

日本語の主観性

もう一つ、われわれが経験的に探りあてた一応の結論に、同じ情況を言語化するのなら、無生物を主語にするより人間を主語にしたほうが、日本語としては自然な表現になるというのがあった。例えば第一章でローレンツの例文をやった時、「滑稽な場面が起こりがちだ」を、「滑稽な場面によく出くわす」と置きかえたのもそれだったし、この章のはじめのほうで無生物主語の構文を調べた時にも、やはり同じ結論を引き出した。これも、一つには、今いう、日本語は、「動作主性」の軸にそった概念化の度合いが低いという現象で説明がつくかもしれない。概念化が低く、情況埋没型なら、無生物を主語にするより、人間を主語（あるいはむしろ主題）にしたほうが、当然捉えやすいだろうからである。

けれども、この点にもっと関連が深いのは、おそらく日本語の主観性ということだろう。もし時枝文法でいうように、日本語の文がかならず詞と辞の結合によって作られ、客観的な詞を辞の主観性が包みこむという構成になっているのだとすれば、日本語の表現は決定的に主観的であるということになる。主観の裏うちがなければ、表現は表現として完結しないことになるからだ。とすれば、概念化の傾向の強い英語とは、この点でもきわめて対照的であるということになると同時に、先ほどからいう情況埋没性ということをさらに裏づけることにもなる。大出《おおいで》晁《あきら》教授が、まことに端的に指摘しておられるとおりだ。

日本語の文は、それに不可欠な辞を通して、話し手の気持ちと結びついています。それゆえ、詞のもつ客観的内容は、辞という語のもつ話し手とのつながりなしには、文という形をとれません。これは、とりもなおさず、文が辞という目に見えないひもで話し手とつながることであり、したがって、話し手の置かれている話の場面とつながっていることでしょう。辞には吸盤のような作用があって、文は、話し手と、また、それを通して話の場面と密着している、という感じです。（『日本語と論理』講談社現代新書、九二―九三ページ）

そこで聞き手のほうでも、辞を通じてたえず話し手の気持に共感し、その場面（つまり、われわれのいう情況）を追体験しながら聞くことによって、はじめて文の内容を感じ取るのだということになる。

日本語のコミュニケーションが、文の根本的な構造そのものからして、このように共感型であり、情況密着型――つまり、板坂元氏が『日本人の論理構造』（講談社現代新書）でいわれる「体感的」「触覚的」なものであるなら、やはり人間を主題にした表現のほうが、はるかに共感性の深い、親密なコミュニケーションが成り立つのは当然だろう。第一章でローレンツの例を訳した時、どこかに筆者の所在の感じられる表現のほうが、日本語としては「安心感」、ないし「親近感」が感じられるという意味のことをいったが、あの時いおうとしていたのも、今改めて考えてみれば、まさにこのことにほかならなかったのである。

第四章　客観話法か共感話法か

1—日本語では間接話法は不可能である

Sakiの例

前の章では、柄にもなく、いささか一般論に深入りして、抽象論の迷路にやや踏み迷う結果におちいってしまったかもしれない。けれどもその反面、日本語の発想が基本的に情況密着型であり、主観性に浸されているという、日本語のかなり本質的な特徴を、なんとか具体的に引き出すことができたというのは、やはり一つの収穫ではあったと思う。けれども、あくまで翻訳の現場からという立場をモットーとしているわれわれとしては、このへんで、また本来の実践的な視点に帰り、翻訳の実際のプロセスを点検するという、当初の手法にもう一度もどってみるべき頃合いだろう。

そこでこの章では、今度は「話法」の問題を取りあげて、また例文を翻訳してみる。その手続きを検討することで、今まで見てきた日本語の特質というものが、現実にはどんな形で現われるか、実際に現場で検証してみなくてはならない。

今度の例文は、Saki（本名は Hector Hugh Munro）というイギリスの小説家の、'The

Storyteller' という短篇の一節である。やや長目かもしれないけれども、ごくごく平易な英文だから、別に苦になさることもないだろう。

Once upon a time there was a little girl called Bertha, who was extraordinarily good. She did all that she was told, she was always truthful, learned her lessons perfectly, and was polite in her manners.

Everybody talked about her goodness, and the King of the country got to hear about it, and he said that as she was so very good she might be allowed once a week to walk in his garden. It was a beautiful garden, and no children were ever allowed in it, so it was a great honour for Bertha to be allowed to go there.

話法の例文のつもりなら、なにもこんなに長い引用をする必要はないではないか——読者は、あるいはそう抗弁なさるかもしれない。確かに直接、話法が表に現われている箇所といえば、ちょうど真中あたりに、'he said that as she was...'という所しかない。けれども実際に訳してみると、これ以外にも、話法にからんだ問題の出てくる所は、実はいろいろとある。だからこそ、あえてやや長い引用をしたのだけれども、そうした箇所はまた後でゆっくり見てゆくとして、ともかくまず、話法が直接問題になるこの一カ所を訳してみることにしよう。

話法をどう扱うか

対照しやすいように、まず問題の部分を抜き出してみる。

(1) He [i. e. the King] said that as she was so very good she might be allowed once a week to walk in his garden.

これをかりに、できる限り厳密に、原文の形そのまま日本語に移しかえようとしてみると、こんなことになるだろうか。

(a)「彼は、彼女がそんなにもよかったから、彼女は週に一度、彼の庭で歩くよう許されてよかったということを言いました」

しかしこれは、もちろん、半分は冗談でやってみたまでのことであって、これでは日本語として意味をなさない。

まず第一に、第一章の『千羽鶴』の例の時にも見たように、日本語では「時制の一致」

ということは成り立たない。英語では that 以下で、'she *was* so very good,' 'she *might* be allowed' と過去形を使っていても、日本語では現在形にしてやらないと、原文と意味がちがってきてしまう。

それに最後の、「ということを言いました」というのも、あくまで厳密に原文の形にこだわった結果であって、普通の英文解釈の方式に従って、ただ「……と言いました」でいいだろう。すると――

(b)「彼は、彼女がそんなにいいなら、彼女は週に一度、彼の庭で歩くよう許されてよいと言いました」

これで、一応「直訳」の段階ぐらいまではなっただろうが、しかしこれではもちろん、まだとても翻訳と呼べるほどのものではない。では、この後、どう手を入れればよいのだろうか。

いちばん気になるのは、やはり代名詞の問題だろう。まず最初の「彼」は、元の名詞にもどし、「王様」としたほうがよくはないか。次の「彼女」も、ことに相手が小さな女の子なのだから、「その子」ぐらいにしてみてはどうか。それに二番目の「彼女」――「彼女は週に一度……」の「彼女」は、日本語では主語は必要な時だけ表に出せばいい、という原則を思い出して、いっそカットしてしまおう。

もう一つ、「彼の庭で歩くよう……」の「彼」がある。このままではどうも落ちつかない。この「彼」というのは、いうまでもなく王様のことである。いっそ発想を転換して、「私」と訳してみてはどうだろうか。

最後にもう一つだけ、これはもちろん代名詞の問題ではないけれども、「許されてよい」というのもひっかかる。実は、次の章では「受動態」のことをやろうと思っているので、くわしくはその時また検討することにしておきたいが、ともかくここではこの受身を、「許してもよい」と、能動に置きかえてみることにしよう。こうすると、今いい変えた「私」とも、うまくつながってくれそうである。

こういう工夫を組み入れると——

(c)「王様は、その子がそんなにいい子なら、週に一度、私の庭で歩くよう許してもよいと言いました」

これで大分、日本語らしくなってきた。けれども私自身が訳すとなれば、これにもう後いくつか工夫を加えて、こんな訳文を考えてみたいところだ。

(d)「王様は、その子がそんなにいい子なら、週に一度、私の庭を散歩するのを許してやってもよい、とおっしゃいました」

直接話法に転換する

さてこうして、日本語としてできるだけ自然な表現を求めて訳文を練る作業をしてきた中から、日本語と英語の表現・発想のちがいについて、どんなポイントが引き出せるだろうか。

第一に、日本語では、英語流の厳密な間接話法は、事実上不可能だということが読み取れたと思う。訳文(a)が、日本語としてほぼ了解不可能だという事実がその証拠だ。時制も代名詞も、英語のように、純粋に客観的な観点に立って選ぶことはできないのである。

ところで逆に、(d)の訳文を読み返してみると気がつくことだが、実はこの文章の、「その子がそんなにいい子なら……許してやってもよい」の部分は、結果的に、王様がその時しゃべったはずの言葉を、そっくりそのまま再現した形になっている——つまり、要するに直接話法になっているのだ。いいかえると、今まで時制なり代名詞なりについて、日本語としてできるだけ自然な表現になるように、いろいろの置きかえをしてきた工夫は全部、間接話法を直接話法に置きかえる操作にほかならなかったのである。なるほどできあがった訳文には、カギカッコ（「……」）こそついていないが、それは単に形式上のことにすぎない。現にこの訳文なら、ここを「……」でくくっても一向に差し支えない。それに、「……とおっしゃいました」というのも、直接話法をしめくくる時の定型である。

要するに、英語では間接話法で書いてあっても、これを日本語に訳す時には、すでに第一章でも見たとおり、直接話法、ないしは直接話法に近い表現に変えたほうが、第一にわかりやすいし、日本語として自然な表現になるということだが、しかし、だとすると、これもまた、すぐ前の章でわれわれの得た結論——つまり、日本語は情況密着的、共感的だという結論を、別の面から裏書きしてくれる現象だということになるのではないか。

間接話法ということは、つまりはどういう表現の仕方かといえば、情況全体を客観的に分析して、例えば代名詞を選ぶにしても、その人物が第三者であれば三人称、時制にしても、現在から見て過去の出来事ならば過去時制と、すべてを概念化し、言語的に再構成するということだ。英語では間接話法が自由に使えるということは、だから、英語はある情況を言語化する時、概念化の度合いが高いという、前の章で得た結論が、話法についてもまた当てはまるということにほかならない。

ところが日本語では逆に、直接話法的な表現方法を抜きにしては、事実上、同じ情況を言語化できない、というのはつまり、客観的な視点に立つのではなく、その言葉が発せられた現場に密着し、その人物自身の立場に共感して、その時に語られた言葉を、そのままの形で追体験するという、概念化の度合いの相当に低い、情況論理的、共感的な表現しか取れない——少なくとも、そのほうがはるかに肌に合うということにほかならない。

現場を再現する手法

日本語のこうした特性を例証する材料は、今のサーキの引用からだけでも、いくつも拾い出すことができる。長目の引用をしたのも、一つには実はそのためだったのだけれども、例えば最初から二番目の——

（2） She did all that she was told.

という文章にしても、これをただ普通に訳せば——

(a)「バーサは、言われたことは全部しました」

となるだろうが（そして、これで一応は自然な日本語になってはいるが）、これに直接話法的な発想を持ちこみ、現場の情況を再現するような表現を取り入れて——

(b)「バーサは、しなさいと言われたことは全部しました」

もしてみたほうが、日本語としてはずっと生彩のある、いきいきした表現になるようるのだけれども、どうだろうか。

二番目のパラグラフの最初の文章——

talked about her goodness.

——

の子のよさについて話しました」

いう直接話法的な手法を取りこみ、その時人々が実際に話した言葉を再現するような表現を工夫すれば——

(b)「誰もが、あの子はほんとにいい子だと噂しました」

あるいは——

「バーサがどんなにいい子か、みんなの噂になっていました」

といった訳が考えられるだろう。

ちなみにこうして、'her goodness' という一個の名詞を文章の形に読みほどくというのも、すでに読者もお気づきのとおり、第二章で、'disdain' を、「人に馬鹿にされる」と訳したのと同様の手法である。名詞の扱い方についてわれわれのすでに検討してきたことが、話法という面からも、そのまま裏書きを得たわけである。

それからもう一つ、第二章でアメリカ独立宣言を訳した時、「彼らが独立に駆り立てられる原因」というのを、「彼らがなぜ独立せざるをえないか」といった形にいいかえてみたのも、実はこの、「バーサがどんなにいい子か」というのと同じ手法だったのである。引用の最後の文についても、同じような工夫が活かせるだろう。

（4） It was a great honour for Bertha to be allowed to go there.

(a)「バーサがそこへ行くことを許されたのは、大変に名誉なことでした」

(b)「バーサが、庭に入ってもいいと言われたのは、大変に名誉なことでした」

待遇表現

情況論理、ないし共感的表現という点からして、最後にもう一つ注目しておきたいことがある。

先ほど（1）の例文を訳した時、(c)から(d)へ、最後の仕上げをした際に、読者には断りもなく、私が勝手に直した所が二つあった。「私の庭を散歩するのを許してやってもよい、とおっしゃいました」という、二カ所の傍線の部分である。だが実はこれも、今いう情況論理、共感表現に関係のある手直しだったのである。

敬語が、情況的発想や共感的な表現と不可分の関係にあることは、今さらくどくど説明するまでもないことだろう。ある具体的な情況の中で、相手と自分との相対的な地位関係を表現するのが、そもそも待遇表現というものである。あるいはもう少し正確にいいなおすなら、相手との関係を発言者はどう見ているか、その意識を表現するのが待遇表現だというべきかもしれない。とすれば、情況性や共感性（ないし主観性）と不可分の関係にあるのは当然のことである。

ただし、今のこの場合だけについて見れば、ここで王様にたいして敬語を使わなければならない理由は、かならずしもない。別に作者が今現に王様の御前にいて、同じ情況を共有しているわけではないからである。ただ、それでもやはり、「おっしゃいました」としたほうが、単に「言いました」と客観的に突き放すより、作者が物語の内容にもっとコミットした言い方になるのではないか。そして、そういう作者のコミットメントの感じを与えたほうが、特に童話などの場合には、語りに一種のぬくもりとでもいうべきものが加わるのではないかと思う。いずれにしても、そういう意味で、やはり共感表現にかかわる問題であるとはいえるだろう。

もう一つ、「許してやってもよい」の「やって」というのも、ある種の待遇表現と呼ぶことができるかもしれない。日本語では、今さら説明するまでもないだろうが、同じく人に物や好意を与えるのでも、相手が自分より身分が上か下か、あるいは相手に好意をもっているかどうかで、「やる」「あげる」「さしあげる」などと使い分ける。今の場合についていえば、王様が小さな女の子に、庭を散歩する特権を与えるというのだから、情況性、共感性をいっそう高めようと思えば、単に直接話法にするばかりではなく、もう一歩これを徹底させて、「許してやってもよい」としてみたのである。

この種の待遇表現を利用できそうな所は、このほかにも、先ほどの引用の中にまだ見つかる。終りに近く――

(5) No children were ever allowed in it.

という文章が出てくるけれども、これなども、ただ――

(a) 「子供は今まで、一度もその中に入るのを許されたことがありませんでした」

とするよりも――

(b) 「子供は今まで、一度も庭の中に入るのを許してもらったことはありませんでした」

とでもしてみたほうが、もっと情況に密着した、共感度の高い訳文になるのではあるまいか。

童話を訳すこと

以上、サーキの短篇の一節について、話法の問題、それに情況論理、共感表現という面から、翻訳上、特に工夫の必要な所、工夫の功を奏する箇所だけを抜き出して検討してみたのだが、せっかく長い引用をしたのだから、最後に全体をまとめて訳しておくことにしよう。

「昔むかし、バーサという女の子がおりました。それは、それは、いい子でした。しなさいといわれたことは、なんでもきちんとやりましたし、けっして嘘をつきませんでした。お勉強も全部きれいに片づけ、お行儀もとってもよかったのです。

バーサはほんとにいい子だと、誰もが噂しましたので、とうとうその噂は、その国の王様の耳にまで入りました。そこで王様はおっしゃったのです。その子がそんなにいい子なら、週に一度、私の庭を散歩するのを許してやろう。王様のお庭は、とっても美しいお庭でした。それに今までは、子供は一度も中へ入れてもらったことはありませんでした。ですから、バーサが中に入ってもいいと言われたのは、たいそう名誉なことだったのです」

童話を訳すというのは——ただし、このサーキの短篇は、全体が童話なのではなく、登場人物の一人が、子供たちにお話をしてやる場面があって、これはそのお話の冒頭の部分なのだけれども、それにしても童話の類を訳すとなると、日本語としてほんのわずかに不自然なところがあっても、ひどく違和感を生じてしまう。その意味では、学術的な論文などの翻訳より、はるかにむつかしい。

私のこの試訳なども、はたしてどこまでその難関を抜けえているか、怪しいものだ。読者の方々も、ぜひ御自分の訳を試みていただきたい。

2―代名詞と時制の問題

「やる」と「くれる」

前の章では、文の構成法という面から、日本語の情況論理的特徴、主観的な性格ということを見た。そしてすぐ前の節では、今度は話法という面から、この同じ日本語の特徴を観察した。この節では、さらに、今の話法の問題に関連して、代名詞と時制という問題が出てきたから、この点を取りあげて、この面でもまた、日本語がいかに情況密着的であり、主観的な発想を示しているかを確認しておきたいと思う。

先ほどサーキの短篇を訳した時、日本語では同じ「与える」ということを表わすのにも、情況や相手の身分に応じて、「やる」「あげる」「さしあげる」などの使い分けをするという現象に触れたが、牧野成一氏はこの現象を、もう少し一般的に、日本語の「授受」の動詞の用法という形で捉え、日本人の空間の把握の仕方には、「共感の同心円」とでも呼ぶべきものが存在するのではないかと指摘しておられる。(『ことばと空間』第二章)

日本語では、同じく誰かが誰かに何かを「与える」という行為であっても、自分ないし身内の者が他人に「与える」時には「やる（あげる、さしあげる）」というのに、他人が自分ないし身内の者に「与える」時には「くれる（くださる）」という。同じ「与える」でも、こちらからあちらへなのか、逆に先方からこちらへなのか、その方向のちがいによって使い分けるのである。

このように、まず「やる」系か「くれる」系かに分けた上で、次にはさらに、相手がこちらより目上なら、「やる」系のうちでも「あげる」「さしあげる」を使い、「くれる」系の中から「くださる」、さらには「いただく」などと使い分けるわけで、考えてみると、実はわれわれ日本人は、同じ「与える」という一つのことを言い表わすのにも、情況に密着して、ずいぶん複雑な区別をつけていることに改めて気がつかざるをえない。

（ちなみに英語では、こういう場合、すべて give という一語ですますことができる。人間関係という情況には関係なく、「与える」主体を主語にすれば、いつでも give 一語でカタがつくのだ。つまり英語では、この「与える」という行為を、文法的なカテゴリーによって客観的に処理するのにたいして、日本語では、情況というカテゴリーによって表現が決められているわけで、この点でもまた、英語は概念化、抽象化の度合いが高いのとは対照的に、日本語は情況埋没型だという例証が得られるのである）

けれども「やる」と「くれる」の区別は、かならずしも、単に自分（ないし身内）と他人という、固定した区別だけで決まるのではない。たとえ身内であっても、心理的に共感がもてない場合はありうる。例えば——

勝手に家を飛び出して行った父に、あの女は相変らず金をやっていたようだ。

といった場合、「与える」相手の「父」は、身内にはちがいないけれども、もはや心理的に共感できる相手ではないから、「やって」は使えるけれども「くれて」は使いにくい。

こうした現象を踏まえて、牧野氏は、次のような興味ある結論を引き出される。

日本語では、話者を中心として、話者が強く共感できる話者側の人間から弱い共感をいだける人間までが、仲間として同心円の内側にあって、その円の外に、いわゆる「他人」が心理空間として配置されている。共感の概念でこのような同心円を考えることは、同心円を固定してみないで、もっと動的なものとして捕えている点で重要である。（『ことばと空間』、二六ページ）

だから、先ほどの家を飛び出した父親の例のように、「肉親でも同心円の外にポイと投げ出されることがある」し、逆に小説などで、作者が読者の共感を主人公に引きつけたいと思えば、主人公を作者や読者と同じ共感の同心円の中にいる人物として扱えばいい——

つまり、いわば読者の「身内」のような扱い方をすればいい。そこで——

春樹はまち子によく手紙をくれた。

といった表現ができる、というのである。

なるほど、この牧野氏の説明からすれば、さっきのサーキの短篇の訳の最後の仕上げで、「子供は一度も中へ入れてもらったことはありませんでした」と訳した工夫なども、やはり、今の「よく手紙をくれた」と似たような、主人公のバーサを、読者の共感の輪の中へ引き入れる表現だったと考えることもできそうである。

一人称の使い分け

ところで牧野氏は、こうした、共感の同心円として図式化できるような心理的な空間の捉え方というものが、単に授受の動詞ばかりではなく、実は日本語の代名詞の使い方——なかんずく一人称の代名詞の用法にも反映している、というより、むしろ表裏一体の関係にあるのではないかと見ておられる。

日本人のエゴは、「拡大エゴ」だということがよく指摘される。つまり、例えば英語のIで表わされるような絶対的なエゴではなく、あるひろがりをもった、相対的なエゴでしかない。先ほどの「共感の同心円」ということからいえば、この同心円のいちばん内側の円（しかし、あくまである広がりをもった円であって、点ではない）に当たるものでしかない、ということである。今まで見てきた授受動詞（「やる」「くれる」）の用法なども、日本人の「拡大エゴ」の強力な証拠を提供しているが、一人称の代名詞（自称詞）の使い方も、もう一つ強力な証拠を提供している。

英語（およびその他の印欧語）には、自称詞は一つしかない。……英語のIはきわめて機能的で、どんな社会的・心理的コンテクストでもIであり、変化するといったら、文法的コンテクストに応じて、規則的にmeになったりmyになったりするだけである。一方、日本語の場合は、英語とは反対に、自称詞は社会的・心理的コンテクストでは変化するのに、文法的コンテクストでは変化しない。（二七ページ）

つまり、例えば——

(a)「先生、私にその仕事をさせて下さい」

(b)「おい、おれにその仕事をさせろ」

(a′) Professor, let *me* do it please.

(b′) Hey, let *me* do it, will you?

先ほど「授受動詞」について、英語なら社会的・心理的コンテクスト（つまり「情況」）によっては変化せず、ただ文法上のコンテクストに従って、例えばgivesとかgaveとか変化するにすぎないのにたいして、日本語の「やる」「くれる」(さらには「あげる」「くださる」)などが、もっぱら社会的・心理的コンテクストに従って使い分けられるという現象を見たけれども、このＩと「私」「おれ」などとの関係も、これとぴったり相呼応する現象だというわけである。

コソアドの体系

けれども、実はこうした現象は、単に自称詞の場合だけに限られたことではない。もっとひろく、日本語の代名詞の体系全体が、同じように、純粋に文法的なカテゴリーというよりは、むしろ情況論的なカテゴリーであって、心理的、共感的な空間の捉え方に従って組織されていることは、すでにたびたび指摘されてきたことである。ここでは、大野晋教授の『日本語の文法を考える』(第五章)にそって、この点を改めて確認しておくことにしよう。

日本語の代名詞には、よくいわれるように、コソアドの体系というものがある。古典語では多少形が変って、コ・ソ・カ・イヅという体系になる。

「ここ」「これ」「こなた」「こち」というコ系の言葉は、話し手がいるところ、そして、話し手がウチと見なすところを指す。これにたいして、「かしこ」「かれ」「かなた」などカ系の言葉は、ウチという輪の外のものを指す。「日本人は、ウチ・ソトの意識を昔からはっきり持っていて、人間を親と疎で区別している。」さらに「そこ」「それ」「そなた」というソ系の代名詞は、すでに知られているもの、「我」と「汝」とが共通して知っているものを指す。（七三ページ）

この関係を一覧表の形にまとめると、こんな表になる。

コ系――	ココ	コレ	コナタ	コチ
ソ系――	ソコ	ソレ	ソナタ	ソチ
カ系――	カシコ	カレ	カナタ	（アチ）
ア系――	アソコ	アレ	アナタ	アッチ
イヅ系―	イヅコ	イヅレ	イヅカタ	イヅチ
ド系――	ドコ	ドレ	ドナタ	ドッチ

こうして日本語には、「自分の居所を中心にする指示代名詞の組織があり、実に整然としている。日本人は自己の周囲に輪をつくり、その内にあるものはコ系で指示し、〈親〉と扱い、輪の外はカ系・ア系で示し、〈疎〉として扱い、二分する。」（七五ページ）

大野教授のコソアドの体系についての説明はほぼ以上のようなものだが、これが、われわれが先ほどから見てきた「共感の同心円」とぴったり一致することは明らかだろう。日本語の指示代名詞の体系は、まさしく社会的・心理的な空間把握によって形作られているのである。

それればかりではない。大野教授は、かならずしもこの点を特に指摘してはおられないけれども、社会的・心理的な空間の捉え方という観点から見て非常に興味があるのは、日本語では、本来は場所を指すはずの言葉が、そのまま人称代名詞に転用されるという事実である。例えば「アナタ」という二人称の代名詞は、元来は「あちら」という場所、ないしは方向を表わす言葉ではないか。

そう思って、改めて先ほどの表を眺めてみると、「コナタ」「ソナタ」「アナタ」それに「ドナタ」も、それぞれ場所、方向を表わす言葉であると同時に、みな二人称の代名詞でもあることに気がつく。しかもそれが、コ系からソ系、ア系、ド系へと移るにしたがって、つまり、「コナタ」から「ソナタ」へ、さらに「アナタ」へと移行するにしたがって、「親」から「疎」へと、しだいに心理的に遠い呼び方に変ってゆき、結局、誰とも得体のわからぬ相手を指す「ドナタ」で、心理的な距離が最大になるという系列を形作っていることに気がつくのである。

そういえば、「ソチ」はそのまま「お前」という意味の代名詞として使えるし、「ここもと」とか「そこもと」とか、あるいは「こちの人」といった表現もある。「どちら様」、

「こちら様」、「あちら様」といったいい方もあれば、相手と自分のことを「先方」、「こちら」といういい方もできる。第一、「お前」といういい方自体、実は場所を表わす言葉だし、そういえば「手前」（自分）も同じ表現法である。

こうしてみると、実はこんなことがいえるのではないかと思われてくる。つまり、日本語の代名詞は、心理的な空間の捉え方に従って配列され、体系化されているというよりも、むしろ日本語の代名詞は（もちろんすべてではないけれども）、心理的に捉えられた空間意識そのものの体系化ではないかということである。代名詞とは、日本語の場合、社会的・心理的に捉えた空間の呼び名そのものなのである。

日本語の時制

このように見てくると、今までわれわれが日本語の基本的な文章構成法、さらに話法について観察してきた情況論理性、主観性という特性が、日本語の代名詞の組織にも深く浸透していることが多少とも明らかになったと思う。ところが同じ現象は、日本語の時制の扱い方にも、同様に見て取ることができるのである。

前の節でわれわれは、日本語では厳密な間接話法は事実上不可能で、多かれ少なかれ直接話法的な表現を取り入れなければ、ほとんど手も足も出ないということを見た。これを時制という観点からいいなおすと、ある過去の発言を伝達するのに、現在の視点からすべて整理しなおし、あくまで過去のこととして表現するのではなく、その言葉の発せられた時点にこちらの視点を移動させて、あたかも今現にその言葉が語られているかのように、過去を現在として追体験することだ、といいかえることもできるのではないか。

比喩的にいえば、つまり、あくまでカメラを現在の時点に固定したまま、ロング・ショットで過去を撮るのではなく、わざわざ現在から過去までカメラを運んでいって、クローズアップで過去を密着撮影するのだとでもいえるだろうか。

要するに、時を捉える視点そのものが移動するわけだが、実はこの点について牧野氏は、同じ『ことばと空間』の中で、次のように分析しておられる。

例えば――

(a)「あした来た人にこれを渡して下さい」
(b)「日本へ行った時、この字引を買います」

というような文章の場合、どちらも「あした」、「日本へ行く時」という、未来のことを話しているのに、どうして「た」という過去形が出てくるのかという問題がある。

もともと「た」は、実はかならずしも過去を表わすのではなく、むしろ完了の表示であるということは、すでに国語学者のたびたび指摘しているところだけれども、これを踏まえて牧野氏は、今の例文のような「た」の用法を、右のような図を使い、視点の移動ということから説明しておられる。

(a)

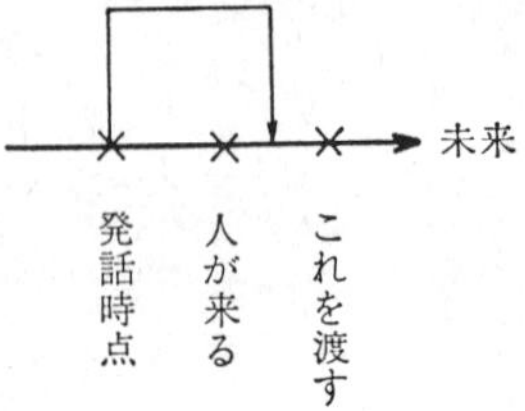

(b)

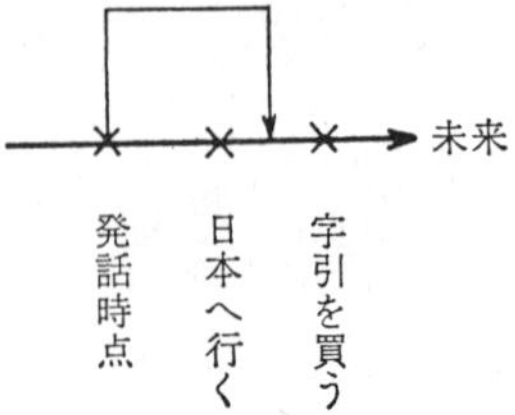

発話時点の後に、(a)では「人が来る」と「これを渡す」、(b)なら「日本へ行く」と「字引を買う」という二つの行為がつづいて起こるわけだが、発言者の頭の中では、無意識に発話時点の視点が矢印の所に移動するのではないか。そして、この移動した地点から第一の行為を見るから、それで、完了態の「た」が使われるのではないかというのである。

(四三ページ)

この分析はおもしろい。もしこういうことがいえるとすれば、時制における視点の移動という現象は、単に話法に関して現われるばかりではなく、もっと一般的に、日本語の時制の扱い方にひろく見られる現象だということになる。いいかえれば、日本語の時制というのは、客観的な時の流れに対応して決まるのではなく、もっとはるかに主観的なものだということになる。

過去を現在形で語る

そして実際、このような予測を裏書きする例証は、日本語の時制について数多く発見することができる。例えば日本の小説や物語では、たとえまったく過去の事件を物語っている場合でも、実にしばしば現在形が混用される。

牧野氏も、大佛《おさらぎ》次郎の『帰郷』の一節と、B. Horowitzによる英訳とを対照しながら、原文では冒頭と結尾だけは過去形にしてあるけれども、途中の述語はほぼ全部現在形になっているのにたいして、英訳では、すべて過去形に統一してあることを例示しておられる。例文を引用して具体的にこの点を確認するには長すぎるので、今はその余裕がないけれども、牧野氏がここから引き出しておられる結論だけは、ぜひとも引用しておかなくてはなるまい。

これは明らかに、作者が臨場感をかもし出そうとしているのである。臨場感が生まれれば、おのずから読み手は登場人物と共感をもちやすくなる。……英語の文章では、日本語の文章のように、主観的な視点（登場人物の視点）と客観的な視点（作者の視点）とを入れまぜることは、パースペクティヴの喪失を意味するのである。この点でも、日本語の文章のほうが英語の文章より、共感表現になりやすい傾向があると言えよう。（四六―四八ページ）

この、時制における視点の自由な移動ということ、さらにそれが、作者と人物との視点の重なり合いを生み、読者を共感表現にまきこむ効果をあげるといった現象については、板坂元氏もほぼ同じ観点から、ほとんどまったく同じ結論に達しておられる。つまり英語では、時制は客観的な時の目盛りと対応しているのが大原則であって、話し手の視点は固定していて動かない。ところが日本語の場合には、話し手の視点が自由に動くし、時制の統一はむしろ避ける傾向が強い。視点を固定し、時制を統一した文章では、単調に感じられたり、不自然に感じられたりさえする。

その例として板坂氏は、三島由紀夫の『潮騒《しおさい》』の一節、川端康成の『山の音』、さらには『蜻蛉《かげろう》日記』の一節にまでさかのぼって、時制の視点がいかに自由に移動するか、またそれがどんな効果をあげているかをこまかく分析してから、こう結論しておられる。

普通、パラグラフや章のはじめと終りを過去形にして画面と作者との距離を示し、あとは自由に視点を動かすという手法は、『源氏物語』の頃に完成して、今日までそのまま踏襲されているかに思われる。（講談社現代新書『日本人の論理構造』一五三ページ）

こうしてわれわれも、主観的な時制、視点の自由な移動というものが、文学上の技法としてもすでに千年近い歴史をもち、日本語の基本的な性格に深く根ざしたものであることを知るのだけれども、しかし同時に、実をいえばこの結論は、われわれにとっては別に目新しいものではないどころか、現にみずから実践してきたことにほかならないということにも、改めて気がつくのである。

読者は覚えておられるだろうか。先ほどサーキの短篇を訳した時、最後に全体をまとめるについて、われわれもこの同じ手法を使っていたのだ。まず冒頭は、「バーサという女の子がおりました。それは、それは、いい子でした」と過去形で始めたものの、途中では、「お行儀もとってもよかったのです」、「王様はおっしゃったのです」、「許してやろう」、「たいそう名誉なことだったのです」と、自由に視点を移動させ、随所に現在形を混じえたのだった。できるだけ生彩のある、聞き手の共感を得るような訳文をと心がけているうちに、『蜻蛉日記』や『山の音』でも使われた手法を、それとは知らぬままに実行していたというわけだ。

3―夢とうつつの合間を縫う

『山の音』の英訳

前の節では、話法に関係の深い文法上の項目として、特に代名詞と時制の問題を取り出し、多少の検討を加えてみたのだが、この節では、以上の検討の結果を踏まえて、改めて話法の問題に帰り、総合的に検討しておくことにしよう。ただし今度は、先ほどとは逆に、日本語を英語に訳した例を取りあげてみることにする。板坂氏も分析しておられた川端の『山の音』である。引用は、この小説の冒頭に近く、主人公の信吾が、初めて「山の音」を聞き、衝撃を受ける場面である。

八月の十日前だが、虫が鳴いている。

木の葉から木の葉へ夜露の落ちるらしい音も聞こえる。

そうして、ふと信吾に山の音が聞こえた。

風はない。月は満月に近く明るいが、しめっぽい夜気で、小山の上を描く木々の輪郭はぼやけている。しかし風に動いてはいない。

信吾のいる廊下の下のしだの葉も動いていない。
鎌倉のいわゆる谷《やと》の奥で、波が聞こえる夜もあるから、信吾は海の音かと疑ったが、やはり山の音だった。

これにたいするサイデンステッカー教授の英訳は——

Though August had only begun, autumn insects were already singing.
He thought he could detect a dripping of dew from leaf to leaf.
Then he heard the sound of the mountain.
It was a windless night. The moon was near full, but in the moist, sultry air the fringe of trees that outlined the mountain was blurred. They were motionless, however.
Not a leaf on the fern by the veranda was stirring.
In these mountain recesses of Kamakura the sea could sometimes be heard at night. Shingo wondered if he might have heard the sound of the sea. But no—it was the mountain.

原文と訳文を比較してみると、われわれが今まで本書で取りあげてきた現象が、ここにもいろいろと現われているのが見て取れて、おもしろい。

例えば、英語は名詞中心主義だということ。原文では「風はない」となっている所を、英訳では 'It was a windless night.'「風のない夜だった」としてある。「風はない」という〈こと〉をそのまま〈こと〉としてすくい取るのではなく、「夜」という〈もの〉に焦点をしぼった表現に置きかえているのである。

あるいは、英語では「動作主＋他動詞＋目的語」の構文を好んで用い、動作主性の軸にそって概念化する傾向が強いということ。例えば原文の、「夜露の落ちる音も聞こえる」という表現が、英訳では 'he could detect a dripping of dew.'「彼は夜露のしたたりを感知することができた」となっているし、「信吾に山の音が聞こえた」というのも、「信吾は山の音を聞いた」'he heard the sound of the mountain.' と、明確に動作主性を打ち出した表現になっている。

「小山の上を描く木々の輪郭はぼやけている」も同様で、原文の「小山の上を描く」というのは、故意に動作主性をぼかしたような曖昧《あいまい》ないい方になっているけれども、英語では 'the fringe of trees...*outlined* the mountain' ——つまり、「木々の梢が山の輪郭を描いていた」と、これまた明確に動作主性を打ち出している。

そしてもちろん、先ほどやったばかりの時制の問題がある。原文と英訳を対比してみればすぐにわかることだが、原文では、さっきも簡単に触れたとおり、時制は現在と過去のあいだを、一見、ほとんど恣意的とも思えるほど自由に往復しているのにたいして、英訳では、最初の'August had only begun'が過去完了になっている以外は、すべて、まことに整然と過去に統一されている。こうして見ると、確かに前の節でも見たとおり、日本語の時制では視点が融通無礙《むげ》に移動するのとは対照的に、英語の視点はいかにも客観的で、かつ固定しているように見える。

それにしても、しかし、原文の、一見まるで恣意的とも思える時制の移動の背後にも、やはりなにか、それなりの論理はあるのではないか。少なくとも、こうした頻繁な移動の結果、いったいどういう効果が生まれているのか。他方、英訳のほうの時制も、はたして本当に、一見してそう見えるほど終始一貫しているのかどうか。

先ほどはごく大雑把に触れることしかできなかったので、板坂氏がこの一節を具体的にどう分析しておられるか、ここで、改めてもう少しくわしく紹介しながら、こうした点を今少し突っこんで考えてみることにしよう。

語り手の時制と主人公の時制

この一節の時制の構造について、板坂氏の分析は、ほぼ次のようなものである。

まず、冒頭の二つの文、「……虫が鳴いている」、「……夜露の落ちるらしい音も聞こえる」では、作者は主人公の信吾と一体化している。時間は信吾の心の中の時間であって、それをそのまま地の文に再現し、「鳴いている」、「聞こえる」と現在形になっている。ところが三番目の文章になると、「信吾は」と、突然、三人称が顔を出す。ということはつまり、今まで主人公と一体化していた作者は、ここで主人公から離れ、客観的な語り手の立場にもどっているわけで、それにともなって時制も、「山の音が聞こえた」と、語り手の時制――客観的な過去に変る。

けれども次の三つの文では、「風はない」、「輪郭はぼやけている」、「風に動いてはいない」と、時制はふたたび現在形に帰る。つまりここではまた、作者の目は信吾の視点と重なりあい、信吾の立場から周囲を描写するのである。だからこの三つの現在形は、主人公の心の中の現在ということになる。

しかし次の文になると、ふたたび「信吾の」と、三人称が顔を出す。板坂氏の表現を借りれば、「作者はあたかも野球の審判のように、信吾の頭越しに廊下の下をながめる。」時制は今度も、「(しだの葉も)動いていない」と現在形になっているが、しかしここでは、冒頭の「虫が鳴いている」や、すぐ前の「風はない」以下三つの現在形とは意味がちがう。今までの場合は、いずれも主人公の心の中の現在だったけれども、今度は、あくまで三人称の文の中に現在形が出てくるのだから、むしろ、この「現在形はナレーターの時間である。」

さて最後のパラグラフになると、問題はいっそう微妙にこみいってくる。「……信吾は山の音かと疑ったが」の「疑った」は、やはり三人称の文章だから、作者は信吾から離れ、「ナレーターの時間の中の過去形を用いる。」ところが、すぐ次の「やはり山の音だった」では、作者と信吾はもう一度一体化し、「音だった」という判断は、「信吾の心の中の時間の流れでの過去形になっている。」つまり、同じ「た」で終る文であっても、時間の捉え方はまったくちがう。「疑った」は語り手の過去であるのにたいして、「山の音だった」は主人公の過去なのである。

こうして、このほんの短い一節の中に、「文法的にいうと、ナレーターの時制の現在と過去、主人公の時制の現在と過去と、四つの時制が微妙に入り混っていて、読者は本当に目まぐるしく飛びまわらなければならない。」(『日本人の論理構造』一五三―五四ページ)

中間話法

板坂氏の分析は以上のようなものだが、なるほどこう精細に解剖されてみると、日本語の時制の扱い方がいかに微妙、かつ複雑に変化するものか、今さらながら思い知らされる。

けれども、そこで改めて原文をもう一度読みなおし、今の分析とつきあわせながら考えなおしてみると、多少の疑問が湧いてこないでもない。確かに時制という観点にしぼって分析すれば、板坂氏のいわれるとおりの結果が出てはくるのだけれども、しかしこの一節の視点の移動を分析するには、実はただ時制だけを見ていたのでは不十分なのではないか。もう一つ、話法という観点も考慮に入れてみたほうがわかりやすいのではないか。

今の分析によると、作者はしばしば主人公と一体化し、人物の心の中の時間を、そのまま語りの時制と重ねあわせてしまっている。なるほどそれはそのとおりだが、しかし言い方を変えれば、これはむしろ、人物が心の中でつぶやいた言葉を、そのまま地の文に繰りこんでしまった表現——つまり、先ほどサーキの訳でわれわれが実践したのと同様の、直接話法的発想を地の文に織りこんだ表現だと見ることもできるのではないか。

例えば冒頭の「虫が鳴いている」とか、「夜露の落ちるらしい音も聞こえる」、あるいは中ほどの「風はない」、「しかし風に動いてはいない」といった文章は、引用符の中に入れてしまえば、ほとんどそのまま、その時信吾が心の中でつぶやいた言葉を、直接話法で引用した形になるのではないか。

この点がいちばん興味ある形で現われるのは、引用の最後、「信吾は海の音かと疑ったが、やはり山の音だった」という文章である。この「海の音か」という言葉も、カッコの中に入れれば、そのまま信吾の心の中のつぶやきになるのではないか。その次の、「やはり山の音だった」という部分も、もし板坂氏の分析どおり、作者が信吾と一体化し、信吾の心の中の時間を、そのまま地の文に取り入れたのであれば、それは結局、信吾の心の中のつぶやきを、そのまま地の文としてしまった表現だということにもなる。

要するに、今の文章を、引用符を使い、はっきり直接話法の形を取って書きかえれば、こんなふうに書くこともできるのではないか。つまり——

信吾は「海の音か」と疑ったが、「やはり山の音だった」(と思った)。

もしこんなふうに考えることができるとすると、今まで、単に時制における視点の移動として捉えてきたことは、実は同時にまた、話法における視点の移動でもあることがわかってくる。

川端はここで、客観的な間接話法の中に、人物の主観に密着した直接話法的視点を持ちこみ、三人称的な地の文と、人物の心の中のつぶやきを一人称的に捉えた表現とを交錯させて、主観と客観との間をあやうく縫ってゆくような、ないしは夢とうつつの間を縹渺《ひょうびょう》と漂い流れてゆくような表現を取っているのだ。あえていうなら、直接話法でもなく、純粋の間接話法でもなく、二つの間を自由に往復する「中間話法」とでも呼べるだろうか。

いずれにしても、こうした特異な話法は、われわれが今まで強調してきた日本語の情況埋没性、そして共感的表現という特徴について、またもう一つの例証を提供してくれるということは言えそうである。実際、この『山の音』の一節を読んでいると、読者も信吾と一体となってその場に居合わせ、信吾の思いを、読者もまた深い共感をもってじかに体験するような感じに打たれる。この印象はやはり、単に時制の面からばかりではなく、もう一歩進んで、話法における視点の移動ということを十分考慮に入れたほうが、いっそう適切に説明できるような気がするのである。

英語にもある中間話法

ところで、話法という問題を考慮に入れることには、もう一つ別のメリットもある。今いうような「中間話法」的な手法は、実は英語にも皆無ではないという事実に思い当たるからである。

今も問題にした「信吾は海の音かと疑ったが……」の部分を、サイデンステッカー教授はどう訳しておられたか。念のために、問題の箇所をもう一度引いてみると——

Shingo wondered if he might have heard the sound of the sea. But no—it was the mountain.

前半は別に問題はない。完全な間接話法の地の文である。おもしろいのは後半、'But no...'という部分だ。

うっかり読むと、これも前半と同様、ただ普通の、客観的な地の文のように見えるかもしれない。しかし、ちょっと気をつけて読みなおしてみると、実は、けっして単純な地の文ではないことに気がつくはずだ。第一、この'no'というのが妙ではないか。もしもこれが地の文ならば——つまり作者自身の語りの言葉であるのなら、いきなり作者が読者にむかって、「ちがう」と語りかけていることになる。

しかし、もちろんこの'no'は、そんな意味の'no'ではない。実は信吾が心の中でつぶやいた'no'なのである。「海の音だったのか」と自問したのにたいして、「いや、ちがう」と、みずから答えている'no'だ。それを、そのまま地の文の中に取り入れてしまったのである。

そう思って読みなおすと、次の'it was the mountain.'も、まったく同じ性質の表現だということがわかってくる。つまりこれもまた、ただ単純な地の文ではなく、実は信吾が、

「あれは山の音だったのだ」と心中つぶやいた言葉を、そのまま直接話法で持ちこんだ表現なのである。というのも、もしこれを完全な間接話法で書くとすれば、山の音が聞こえたのは 'wondered' より前のことだから、当然大過去にして、'it *had been* the mountain.' となっていなければならないはずだ。現にすぐ前の文では、'Shingo wondered if he might *have heard* the sound of the sea.' と、ちゃんと完了形が使ってある。

いいかえれば、要するにこの部分は、一度まず直接話法で――

"But no—it was the mountain," *Shingo said to himself.*

と書いた上で、イタリックスの部分（伝達部）を省略し、同時に引用符もはずしたのと、結果的に同じ形になっているということである。

こう書きなおしてみると、しかし、これは先ほど、この部分の原文を直接話法に書き直したのと、非常に近い形になることに気がつくのではあるまいか。

信吾は「海の音か」と疑ったが、「やはり山の音だった」（と思った）。

なるほど前半は、英訳では純粋な間接話法に置きかえて、'Shingo wondered if he might have heard the sound of the sea.' としてある。けれども、後半は英訳でも、原文の表現の構造と、みごとに一致する表現が工夫されているのである。

描出話法

こういう微妙な表現は、英語としてはやはりそう普通の話法ではなく、おそらくは、原文のニュアンスを何とかして英文に移そうと工夫するうちに、サイデンステッカー教授が苦心の末に探りあてられたものではないかと思うのだが、しかし、まったく教授一人の独創であるかといえば、かならずしもそうとはいえない。英語の、特に小説の描写の技法として、これに非常に近い技法がすでに確立されていて、英文法でも認知されているからである。いわゆる「描出話法」がそれである。

「描出話法」(Represented Speech) というのは、デンマークの英語学者イェスペルセン (Otto Jespersen) の用語だが、文法学者によって、例えば「間接話法独立形」(Independent Form of Indirect Speech——カームの用語) とか、「自由間接話法」(Free Indirect Speech——クワークの用語) とか、いろいろな名称が与えられているけれども、名称はともかく、要するに直接話法と間接話法のちょうど中間のような形で、両方の特徴を兼ね備えた話法である。

ともかくまず実例にあたってみよう。

She asked her next-door neighbour if she knew Lady Mickleham by sight. *Had she seen her lately?*

「彼女は隣の人に、ミクラム夫人の顔を知っているかどうかたずねた。最近会ったことがあるかどうか」

前半は普通の間接話法だが、後半のイタリックスの部分が「抽出話法」になっている。その特徴を拾いあげると、まず伝達部（she asked her）がなく、被伝達部だけが独立している。それに、代名詞の人称や動詞の時制は間接話法と同じになっているけれども、疑問文の語順は直接話法と同じ形になっている。そして、こういう形を使うことで、作者は純粋に客観的な語り手の立場を一歩踏み出し、人物の視点に近づいて、その結果、あたかもその場の発言をそのまま再現しているかのような臨場感が高まる。

もう一つ実例をあげてみよう。

He felt sorry for her. *It must have been a terrible blow to her to lose her mother.*

「彼は彼女のことを気の毒に思った。母親をなくすというのは、どんなにかつらい打撃だったにちがいない」

こういうケースになってくると、単に形の上だけからでは、地の文とまったく区別がつかない。しかし内容的に、これがその時、彼の心の中でつぶやいた言葉の再現であることは明らかだ。けっして、純粋に客観的な地の語りではないのである。先ほどわれわれの見た『山の音』の「中間話法」と、非常によく似た技法であることがわかると思う。

こうしてみると、今までわれわれは時制にしろ話法にしろ、日英語の対照、ちがいという面だけをとかく強調しがちだったけれども、両者は実は、かならずしも相対立しているばかりではなく、おたがいに連続する面のあることにも注意しなければならないことに気がついてくるのではなかろうか。

実際、今の「描出話法」ということを念頭に置いた上で、もう一度『山の音』の英訳を読みかえしてみると、例えば——

Not a leaf on the fern by the veranda was stirring.

という一文など、かならずしも純粋に客観的な地の文というよりは、どこか「描出話法」

的な、信吾の目に映った主観的なイメージの再現という気配が感じられなくもない。

さらにはまた、先ほどやや くわしく論じた 'But no—it was the mountain.' という文章などは、「描出話法」の域からさらに一歩主観的な表現に踏みこんで、英語にできる限りは最大限に「中間話法」を取りいれ、時制すら信吾の心の中のつぶやきに一致させていたではないか。

(ちなみにこの部分を「描出話法」で書くとすれば、時制はやはり間接話法と同じにするという原則に従って——

But no—it *had been* the mountain.

ないしは——

But no—it *must have been* the mountain.

となるはずである)

英語でも、これだけ日本語の表現に近づくことができるのである。

登場人物と作者の合一

しかし、そういうことを十二分に考慮した上で、なおかつ、日本語は英語にくらべて、主観と客観のあいだをはるかに自由に往復し、現実と夢幻のあいだを縹渺と漂い流れてゆく傾向がはるかに強いということは、やはり、一つの事実として認めておかなければなるまい。そしてこれは、おそらくは日本語の特質――少なくとも、日本文学の技法の伝統に、深く根ざした現象だろうと思われる。というのも同様の現象は、『源氏物語』などにもすでに典型的に現われているからである。

板坂氏は、『山の音』の時制の扱い方が、すでに『蜻蛉日記』にも見られることを指摘し、この手法が、『源氏物語』の頃に完成して、今日までそのまま踏襲されていることを指摘しておられたが、話法という点から見ても、例えば『源氏』の有名な「須磨」の帖の冒頭の一節に、こんな表現がある。

かの須磨は、昔こそ人の住み処《か》などもありけれ、今はいと里ばなれ心すごくて、海人の家だにまれになど聞きたまへど、人しげく、ひたたけたらむ住まひは、いと本意なかるべし、さりとて、都を遠ざからんも、古里おぼつかなかるべきを、人わるくぞ思し乱るる。よろづの事、来し方行く末思ひつづけたまふに、悲しきこといとさまざまなり。

(大意――かの須磨は、昔こそ人の住まいなどもあったが、今はひどく人里離れて物淋しく、漁師の家さえ稀であるなどとお聞きになるが、人の出入りが多く雑然とした住まいは、まったく本意にもとるであろう、とはいえ、都から遠く離れるのも、故郷のことが気がかりであろうしと、人に見られては恥ずかしいくらいに思い悩まれる。何から何まで、来し方行く末を思いつづけられると、悲しいことは実にさまざまである）

ところどころに、「聞きたまへど」、「思し乱るる」、「思ひつづけたまふに」など、伝達部が現われるので、ようやくこれが、源氏の心の中の思いを叙した描写であるとわかるけれども、厳密にどこまでが地の文で、どこからが引用符なしの直接話法の文章なのか、かならずしもはっきりしない。むしろそのはっきりしない点こそ、実はこの文章のあやなのだというべきだろう。（ちなみに、伝達部で敬語の果たしている役割、それにともなう主語の省略など、この一節の話法の構造は、前に第一章で見た『千羽鶴』の一節とまったく一致している点にも注目していただきたい）

こういう語り口が、『山の音』の表現ときわめて近いことはすでに説明の必要もないだろうが、特に興味深いのは、今の引用の最後、「よろづの事……」の部分である。この表現の構造は、まさに、「信吾は海の音かと疑ったが、やはり山の音だった」と正確に対応しているのではないか。「悲しきこといとさまざまなり」も、「やはり山の音だった」も、一見地の文のように見えながら、実はどちらも、源氏や信吾の心の中のつぶやきそのものだからである。

いや、もっと正確にいうならば、これはむしろ、地の文であると同時に、また人物の心中の言葉でもあって、こういうクライマックスに達した時、人物と作者の二つの視点が、ついに一つに合致するのだというべきかもしれない。そして読者もまたこうした瞬間、深い共感の絆によって、この、作者＝人物の合一に結ばれ、融合するのではあるまいか。

第五章　受動態と受身

1―受動態をどう訳すか

英語の受動態と日本語の受身

さて以上で、第一章の最後にまとめた六つのポイントは、なんらかの形で一応検討を終えたことになる。あの時われわれは、ローレンツの文章と『千羽鶴』という二つの実例の研究から、日本語は動詞中心であるらしいとか、英語は「動作主＋他動詞＋目的語」の構文を特に好むらしいとか、あるいは日本語では直接話法が肌に合うとか、六つのポイントを拾い出し、そしてそれ以来、各章で、こうしたポイントを中心に今まで検討を進めてきたわけである。

当初の計画からすれば、だから、これでめぼしい論点は全部カバーしたことになるはずなのだが、しかし最後にもう一点だけ、英語の受動態と日本語の受身の対比という問題を取りあげておきたいと思う。というのも、第一章の実例の研究にはたまたま出てはこなかったけれども、これもまた日英語の表現・発想のちがいがかなり鮮明に現われる点だし、同時にまた、ここでもやはり、日本語の情況論理性、共感性という特徴が読み取れるからでもある。

それに、そう思って振り返ってみると、第二章で関係代名詞の訳を考えてみた時にも、英語の「動作主＋他動詞＋目的語」を日本語に置きかえるには、人間を主語にし、そのかわり動詞を受身にする（例えば、「政治的絆がある国民を他国に併属させる」→「ある国民が政治的絆によって他国に併属される」）という準則を引き出したことがあったし、'disdain' を「人に馬鹿にされる」と受身に訳してみたこともあった。それに、第三章で使役の表現を調べた時にも、「太郎は次郎に行かれた」という、受身の形が顔を出したこともあった。こうした点からしても、やはりここで、改めて受身の問題を検討しておく必要がありそうである。

そういうわけでこの章では、まず例によって、英語の受動態を日本語に訳す実例を研究し、次には、日本語の受身というもののそもそもの特質を考え、そして最後に、その両方をトータルに捉える枠組のようなものを見つけることはできないかどうか、検討してみることにしたい。

能動態で訳す

さて、そこでまず、実例の研究である。

(1) Lighthouses *are* often *built* on high rocks so that their lights can *be seen* by ships sailing far away from land.

とりあえず、まずこれを「直訳」してみると――

(a)「灯台は、はるか沖合いを航行する船によって見られるように、しばしば高い岩の上に建てられる」

しかしもちろん、「船によって見られる」というのは、いかにもぎこちない。「船に見える」、「船から見える」と、能動に訳したほうがよさそうだ。

それなら「建てられる」のほうはどうか。これはこれで、このままでよさそうにも思えるけれども、もしどこか工夫の余地があるとすれば、どう直せばいいのだろうか。

いろいろの可能性を考えているうちに、いっそ「建てる」と、能動に変えることもできるのではないかと気がついてくる。「灯台は普通、高い岩の上に建てる。」これでもいい――というより、ひょっとすると、こちらのほうがいいかもしれない。すると――

(b)「灯台は、はるか沖合いを通る船からもよく見えるように、普通、高い岩の上に建てる」

やはりこのほうが、(a)よりはよさそうだ。結局、原文に出てきた二つの受動態は、どちらも能動に訳しかえたわけである。

(2) A trip to Mars and a plane that travels eight times as fast as sound! You will surely *be excited* in reading science fiction. Many unusual characters and objects *are contained* in this sort of stories, but they *are based* on accurate scientific material.

まず直訳。

(a)「火星旅行、音速の八倍で飛ぶ宇宙船。サイエンス・フィクションを読むと、誰しも興奮させられざるをえない。こうした小説には、不思議な人物や物がふくまれているが、正確な科学的材料に基礎づけられている」

しかしもちろん、「興奮させられる」というのはいかになんでも具合が悪い。英語では、'be surprised' とか 'be interested' とか、感情や心の状態を表わすのに受動態を使うけれども、日本語では「驚く」とか「興味がある」など、能動（それも自動詞）で表現するのが普通である。受動態の問題にはちがいないが、この手の表現は、むしろ慣用句と考えていいだろう。

それから最後の「基礎づけられる」というのも、わざわざあえて直訳を試みたまでであって、実際にこんな訳を試みる人はまずあるまい。「もとづく」、「もとにしている」、さらには「(科学的材料が)もとになっている」など、ともかく能動(この場合もやはり自動詞)に直したほうがよさそうだ。

もう一つ、'are contained'「ふくまれている」というのが残った。一つの考え方としては、「こうした小説は……をふくんでいる」といった形で能動にすることも不可能ではないかもしれない。しかしどうやら、「ふくむ」という動詞にはこだわらないほうがよさそうだ。いっそ「出てくる、現われる、登場する」とでも考えてみてはどうだろうか。

とすると結局——

(b)「……SFを読むと、誰しも興奮をおぼえざるをえない。この種の小説には、不思議な人物や物がいろいろと登場するが、みな正確な科学的資料をもとにしている」

崩れる原則

以上の例では、受動態は結果的に、全部自動詞の能動態で訳したわけだが、それなら英語の受動態は、日本語ではいつでも能動に訳すべきかといえば、かならずしも、そう単純に断定はできないように思う。例えば、こんなケースもあるからだ。

(3) The world *is made* like that. The decent fellows are always *being lectured* and *put* out of countenance by the snobs.

(a) 「世界はそんなふうに作られているものだ。ちゃんとした人間が、いつでも俗物どもに説教され、恥ずかしい思いをさせられるのである」

なるほど、最初の「作られている」という所は、今までの例（特に「もとにしている」といった表現）にならって、むしろ「できている」と能動（自動詞）に訳したほうがいいだろう。しかし後半の「説教される」、「恥ずかしい思いをさせられる」という二つの受身は、ちょっとほかに置きかえようがないのではないか。

強《し》いて能動に訳すのなら、(1)の 'can be seen by ships' の時と同じように（というのも、今度もあの時と同様、by 以下に動作主が示してあるから）、by 以下を主語にまわして、「俗物どもが、まともな人間に説教し、恥ずかしい思いをさせる」と訳すこともできなくはない。しかし今度の場合、「説教を聞かされる」とか「恥ずかしい思いをさせられる」という表現には、人から迷惑をかけられるという被害のニュアンスがあって、だからこれを、「俗物ども」を主語にした能動の形に直すと、やや文意が変ってしまうのではあるまいか。これでは、「ひどい目に遭わされる」という、感情的なニュアンスが消えてしまうのである。

こうしてみると、英語の受動態は日本語では能動に変えて訳すべきだという原則は、かならずしも一概には成り立たないことがわかってくる。

とにかく、今の例文の訳をまとめておくと——

(a)「世の中は、とかくそんなふうに出来あがっているものだ。まともな人間が俗物どもにいつも説教を聞かされ、恥をかかされてばかりいるのだ」

定着した欧文直訳調

受身のまま残すといえば、次のような例の場合も、結局、ほかに仕様がないのではないかという気がする。

(4) The first modern Olympic games *were held* in Athens in 1896. Since then the games have *been held* every four years, except during the wars, in the principal cities of the world.

「最初の近代オリンピックは、一八九六年、アテネで開かれた。それ以来、戦争中は別として、四年ごとに、世界の主要都市で開かれている」

この「開かれる」を能動に置きかえようとしてみても、どうも適当な表現が思いつかない。「開いた」でもおかしいし、「起こった」では余計おかしい。やはり「開かれた」か、「開催された」、あるいは「行なわれた」など、いずれにしても受身の表現にするしかなさそうである。強《し》いて能動にこだわれば、「開催を見た」といった言い方もないわけではないが、しかし、そんなに持ってまわらなくても、「開かれた」で、そう違和感はないように思うのだけれども、どうだろうか。

かといって、今のケースは、先ほど(3)でやった「説教を聞かされる」とか、「恥をかかされる」のように、迷惑とか被害とかいう感情的ニュアンスはない。まったく客観的、中性的な表現である。別のカテゴリーだと考えなくてはならないだろう。

こういうケースは、実はもともと、西洋流の受動態の和訳が日本語に定着した結果なのではないかと思う。日本語では元来、人間以外のものを主語にした受身は使わなかったようである。けれども明治以来、英語をはじめ欧文の翻訳がおびただしく流入し、いわゆる欧文直訳調がしだいに日本語の中に浸透してきた。今の受身のケースなども、例えば「彼」「彼女」などの代名詞と同様、欧文脈の定着した結果ではないかと思うのである。

しかしそれなら、例えば前にもちょっと出た、「何が彼女をそうさせたか」といった無生物主語の構文が、日本語としてまだかならずしも同化されていないのに、受動態の訳としては、受身が、少なくとも今のような例の場合、ほとんど違和感がなくなっているのはなぜかという、考えてみればなかなか面白い問題が出てくるけれども、その検討はまた次の節にでもゆずるとして、とにかく受動態の訳として、少なくともある種の場合は、たとえ感情的ニュアンスはなくとも、受身がそれほど不自然とは感じられなくなっているという事実がある以上、そういう場合まで、無理に能動に変える必要はないだろう。

受動態の訳の工夫

さて以上、受動態の訳についていろいろなケースを見てきたから、ここで一応、まとめをつけておくことにしよう。

受動態の訳は、四つのケースに分けて考えるのが便利だろうと思う。まず（A）能動に置きかえる、（B）受身で訳す、と二つに大別し、それぞれをまた二つのケースに分けるのである。

A・能動に置きかえる

(1)他動詞の能動に

(2)自動詞を使って

(3)迷惑、被害などを表わすケース

(4)欧文脈をそのまま生かす

B・受身で訳す

それぞれについて簡単にコメントを加えておくと——

(1)他動詞で能動に訳す場合

例えば 'lights can be seen by ships' のように、by 以下で動作主が示されている時は(実際の例を見ると、こういうケースは実はそう多くはないのだけれども)、なんらかの方法で、その動作主を主語に相当する形で生かすことができる。例えば「船から見える」。あるいは 'America was discovered by Columbus.' なら、「アメリカはコロンブスが発見した」など(この「は」は目的格を表わすが、こういう「は」の用法はすでに第三章で検討した)。

しかし by 以下が表に現われていない時でも、他動詞の能動を使って訳すことのできるケースは少なくない。その場合、よく考えてみると、実は(不特定の)人間を主語に立てた上で、その主語を隠すという操作を行なっていることに気がつく。

例えば——

Lighthouses are built on high rocks.

これを、「灯台は高い岩の上に建てる」と訳したということは、つまり——

They (*We*) build lighthouses on high rocks.

という能動態の文章を、主語を隠して訳したのと結果的に同じことになっているわけだ。

(2)自動詞を使って能動に訳す場合

先ほどやった例では、'They are based on scientific material.'を、「科学的資料をもとにしている」としたのがこれに当たる。'be excited'を「興奮する」と訳したのも、やはりこのケースに入ると考えることができるだろう。

この種のケースに限らず、一般に英語の受動態を訳す時には、能動態に転換するという工夫が功を奏する場合は多い。実際に翻訳の作業をしていると、つい機械的に、受動態を受身に訳してしまいがちだが、例えば「(事件が)起こされる」→「起こる」あるいは「起きる」、「隠される」→「隠れる」、「重ねられている」→「重なっている」、「変えられる」→「変わる」、さらには「教えられる」→「教わる」など、ちょっと頭を働かせれば、日本語として、もっと自然な表現の見つかるケースは少なくないのである。

感情的ニュアンス

(3)「迷惑」の受身の場合

先ほどの「説教を聞かされる」とか「恥をかかされる」など、主語に当たる人間が、他人から迷惑、被害を受けるといった感情的ニュアンスのある場合は、日本語でも受身でよい――というより、これが元来、日本語の「受身」というものなのである。

今までの章で受身を使って訳した時も、ふり返ってみると、実はこのケースに属する場合がほとんどだった。例えばアメリカ独立宣言の、「他国に併属を強いられる」、「独立に駆り立てられる」などがそれである。'disdain' や 'ridicule' を、「馬鹿にされる」、「笑われる」などと訳したのも、つまりはこの応用だったわけである。

ただし、この「感情的ニュアンス」というのは、かならずしも「迷惑・被害」だけとは限らない。「人に褒められる」、「大いに歓待される」、あるいは、「両側に美人にすわられてヤニさがっている」など、「迷惑」とは逆に、ありがたい場合、いってみれば「受益」を表わすケースもある。独立宣言の訳で出てきた「平等の地位を認められる」というのは、実はこちらのケースに属していたわけだ。

(4) 欧文脈を生かす

最後に、すでに日本語の表現として十分定着している場合には、別に感情的なニュアンスはなくても受身を使うことは、やはり、少なくともある程度は認めてよいのではないかと思う。事実、先ほど見た「開催される」の例など、ほかに適当な表現はちょっと思いつけないのだから仕方がない。

さて以上、この節では、あくまで翻訳の現場から出発するという本書の趣旨にそって、受動態を訳す場合に出くわすいろいろなケースを観察してみたのだが、こうして経験的に引き出してきた一応の結論が、はたして英語の発想、日本語の論理とどのように結びついているのか、次の節では、今度はその検討に入ってゆかなくてはならない。

2―受身の主観性、情況性

自動詞の受身

英語の受動態と日本語の受身とは、そもそもどこがどうちがうのか。その対照がいちばん鮮明に現われるのは、自動詞の受身の場合だろう。日本語では、自動詞でも受身が作れるのである。例えば――

帰り道、夕立に降られて弱った。
私は五つの時、母に死なれた。
忙しい時に、客に来られて困った。
彼は女房に逃げられた。

などという場合、「降る」も「死ぬ」も、「来る」も「逃げる」も、みな自動詞である。そういえば、第三章で使役の問題を考えた時にも、「太郎は次郎に行かれた」という受身が出てきた。「行く」も、もちろん自動詞である。

英語の受動詞が、「be ＋他動詞の過去分詞」の形で作られることはいうまでもない。だ

から、例えば「母に死なれた」というのを

I was died by my mother.

などとはいえないし、「夕立に降られた」を英語でいおうとすれば

We were caught in the shower.

とでもいうしかない。つまり、'catch' という他動詞を使わなければ、受動態を作ることはできないのである。

迷惑の受身

国文法では、こういう自動詞の受身のことを、「迷惑の受身」と呼んでいるようだ。けれどもこの、「迷惑」とか「被害」とか（ないしは逆に「受益」とか）いう感情的なニュアンスは、別に自動詞の受身だけに限ったことではない。つい先ほども見たように、例えば「説教を聞かされる」、「恥をかかされる」、「強《し》いられる」、あるいは「褒《ほ》められる」など、

他動詞の受身の場合にも、やはり、こうした感情的なニュアンスをともなう場合が非常に多い。

このことは、例えば次のような二つの文章をくらべてみると、もっとはっきりするかもしれない。つまり——

(a)彼の家は台風で壊された。

(b)彼の家は台風で壊れた。

どちらも、客観的な情況という点では、同じことをいっていると考えていいだろうが、(a)の「壊された」のように受身を使うと、被害を受けたという感情的ニュアンスが出てくる。このニュアンスをもっとはっきり出そうと思えば、「被害」を受けた当人である「彼」を主語にして、「彼は台風で家を壊された」とすればいい。ともかくこれにたいして、(b)はただ客観的に、単に事実を事実として述べているだけという感じが強い。

あるいは——

(a)彼は奥さんに離婚された。

と受身でいえば

(b)彼は奥さんと離婚した。

ないしは——

(c)彼と奥さんは離婚した。

などというのが、ただ事実を客観的に述べているにすぎないのとくらべて、一方的に「捨てられた」という、「迷惑」というか「被害」といおうか、とにかく情ない男という感じになる。「受益」の場合にも、やはり同じようなことがいえそうである。例えば——

(a)人間は自然からさまざまの恩恵を与えられている。

(b)人間は自然からさまざまの恩恵を得ている。

この二つの表現をくらべてみると、客観的な内容という点ではほぼ同じことだけれども、「与えられている」と受身にしたほうが、人間はそのことで自然に感謝すべきだ、というような、感情的な色合いがもう少し強くなるように思うのだが、どうだろうか。

こうしてみると、どうやら日本語の受身というのは、「オリンピックが開催された」というような、おそらく欧文脈の模倣から生まれた中立的な表現は別として（国文法ではこうしたケースを「非情の受身」——つまり情緒的なニュアンスをともなわない受身——などと呼ぶこともあるらしいが、ともかくそういうケースは別として）、本来、先ほどもすでに触れたとおり、なにかしら主観的、感情的ニュアンスを帯びた表現なのだという見当がついてくる。つまり、これもまた、実は、今までわれわれが強調してきた日本語の主観性、共感的表現ということの、さらにもう一つの側面らしいのである。

人間と情況との関係

共感表現といえば、読者はあるいはもうお忘れになったかもしれないけれども、前の章でサーキの短篇中の童話を訳した時、こんな例が出てきたことがあった。

No children *were* ever *allowed* in it (i.e. the King's garden).

ここにも受動態が出ているが、これを訳す時、一度は——

(a)「子供は今まで、一度もその中に入るのを許されたことがありませんでした」

と訳したけれども、最後の仕上げで、これをさらに共感度の高い表現にしようとして、こんなふうに工夫してみた。

(b)「子供は今まで、一度も庭の中に入るのを許してもらったことはありませんでした」

まさに、今問題にしている受身の感情的ニュアンス（この場合は「受益」）に相当するケースだが、これを強調するために、さらに「もらう」を補ってみたわけである。

この言いかえは、「受益」の受身の時にはいろいろと応用できそうである。例えば——

(a)先生に褒められた。

(b)先生に褒めてもらった。

あるいは――

(a)彼の努力は、上司には認められなかった。

(b)彼の努力は、上司には認めてもらえなかった。

こういう言いかえができるということ自体、受身が共感表現の一種らしいということの一つの例証になると思うが、しかしそういえば、もう一つ思いあたるふしがある。第三章で使役表現を考えた時、「太郎は次郎に行かれた」という受身と並んで、「太郎は次郎に行ってもらった」という表現も出てきたのではなかったか。

そこで今、改めてあの二つの表現をくらべてみると――

(a)太郎は次郎に行かれた。

(b)太郎は次郎に行ってもらった。

という一組の表現は、実は、「被害」と「受益」の対《つい》になっていることに気がつくのである。

ところで、これも読者はもうお忘れになっているかもしれないけれども、この「次郎に行かれた」とか「行ってもらった」とかいう表現について、われわれはあの時、こんなことを考えた。つまり、これはどちらも、「太郎」という人間が、「次郎が行く」という情況とどういう関係にあるのか、そのかかわりのありようを表現した文章ではないか。要するに、主題たる「太郎」と情況との関係をいい表わした表現であって、結局、日本語の情況論理的性格を例証するものである——そう考えてみたのである。

もしこう考えることが正しいとすれば、日本語の受身の表現は、共感的、主観的であると同時に、これもまた、われわれが今まで一貫して強調してきた日本語の情況論理性の、さらにもう一つの表われと見ることができるのではないか。

「レル・ラレル」の由来

この、受身の情況性という特質は、受身表現の歴史的由来を知ると、さらに端的に裏書きされるように思う。

受身を表わす「レル・ラレル」(文語では「ル・ラル」)が、元来は「自発」の意味に由来しているということは、すでに多くの論者がたびたび指摘しているところで、例えば荒木博之教授の『日本語から日本人を考える』(朝日新聞社)の第一章(特に二〇ページ以下)、板坂元氏の『日本人の論理構造』(講談社現代新書)第五章(特に八五ページ以下)、あるいは大野晋教授の『日本語の文法を考える』(岩波新書、一二三ページ以下)など、いずれもほぼまったく同じ指摘が見られる。ここでは一応、大野教授の説明にそって、受身表現の歴史的由来を簡単に勉強しておこう。

学校文法では、「ル・ラル」「レル・ラレル」は、自発、可能、受身、尊敬の四つの意味があると教えるけれども、発生的には、こうした意味の根本は「自発」――つまり、物事がおのずからそのようになる、ということにある。

しかしそれなら、なぜそれが「可能」の意味になるかといえば、それは「日本人が〈可能〉を奮闘努力の末に獲得することとは考えず、自然の成行きとしてそのコトが〈現われ出てくる〉と捉えてきた」からである。第一、「可能」を表わす「できる」という言葉自体、「出で来る」、つまり「出て来る」という意味でしかない。人間になにかが「できる」というのは、植物に実が「できる」のと同様、自然の成行きとして「現われてくる」、「出て来る」と捉えるのである。こうして「ル・ラル」が、「自然の推移・成行きの意から〈可能〉の意味を表わすようになった」のである。

「受身」の場合も同様で、「日本語のル・ラルという助動詞は、それのついた動詞の動作が、成行きとして自然に成就したことを表わすのだから、〈親に死なれた〉とは、つまり、〈親において死ぬという動作がいつのまにか自然に成り立った〉ということである。自分はその死に関与していない。……こういう自動詞の受身の形は多くの場合、迷惑を表わすので、〈迷惑のル・ラル〉といわれているが、要するに、日本語の受身は、自分が関与しないのに、自然の成行きとしてある事態が成立するというル・ラルを基礎にしているから、自動詞の受身をつくることができるのである。」（一二五ページ）

さて、「ル・ラル」という助動詞が「尊敬」の表現に使われるのも、根本的には同じ理由によるものであって、これはつまり、「ル・ラルによって〈相手が自然に動作をした〉と扱うことであり、相手の動作にたいして自分が干渉せず、関与していない、疎《うと》い関係だということを意味する。それが、つまり相手にたいする尊敬を表わすことになる」（一二七ページ）というわけだ。

しかし、ともかくこうして、受身の「レル・ラレル」が元来「自発」からきているということになると、これは要するに、われわれの使ってきた表現に従っていいなおせば、つまりは「情況論的」発想の表われということにほかならないのではないか。

ただし、このことをはっきり言うためには、もう一つ議論の輪をつないでおかなければならないかもしれない。

情況論理性と共感的発想

なるほど今の説明を聞いてみると、例えば、「彼は子供の時に親に死なれた」という受身の文で、「親が死んだ」という事実が、「彼」とはかかわりなく、彼の関与しない自然発生的な現象として起こった、というふうに捉えられていることはよくわかった。しかし改めて考えてみると、「彼」と「親の死」とがまったく無関係であるのなら、そもそもこれが受身の表現にはなりえないということにも思い至るのではあるまいか。「彼」にとって、これは自分のコントロールできない事実であったということと同時に、自分にとって「迷惑」な、悲しい事実であったという関係がなければ、この文章は、そもそも受身の表現にはなりえないはずである。

別のいい方をするなら、この文章が受身の表現となりうるためには、「親の死」という事実、情況が自然発生的であるということと同時に、この情況と「彼」という主題とのあいだのかかわりのありようにたいして、話者がどういう判断をくだしているかという、主観的判断の要素が必要なのである。つまり、先ほどもいった、情況と主題との関係をいい表わすという側面である。

ところで、こういう主観的判断が成り立つためには、話者はまず、主題たる「彼」にたいして共感することが必要である。「彼」の立場から見れば、「親の死」という情況がどう見えるか、「彼」に主観的に共感して、「いかにも気の毒なことだ」と、感情移入的に理解しなければならないし、同時に聞き手（ないし読者）の側もまた、このような共感を追体験することによって、はじめてこの文章を「受身」――「迷惑」「被害」の受身表現として理解できるのである。

このように考えてみると、日本語の受身表現は、まず第一に、主題と、自然発生的な情況との関係を述べたものであるという点で、まさしく情況論理的であると同時に、さらに第二点として、この情況との関係が、例えば因果律的な、あるいは、行動とその結果というような観点からではなく、共感的な感情移入によって捉えられるという意味で、確かにまた共感主義的な表現であるということが理解できるのではあるまいか。

われわれはこれまで、日本語の基本的な文の構成法について、あるいは話法について、代名詞や時制について、日本語の発想の根本的な特質は、その情況性、共感性にあるのではないかということを見てきたのだが、以上のように考えてくると、同じことは、受身の表現についてもまた当てはまることがわかってきたと思う。いや、むしろさらに一歩進んで、この情況論理性と共感的発想という二つの側面は、実は同じ一つの事柄の二つの面にほかならないことまで見えてきたように思うのである。

3—受身のパラダイム

英語の受動態

さて以上、日本語の受身について見てきたところを踏まえて、今度は逆に、改めて英語の受動態を観察し、日本語の受身と比較・対照してみなければならない。

第一に気のつくことは、英語の受動態では、主語になる物なり人間なりが、動詞の表わしている行為に直接巻きこまれており、その動作の直接の対象になっているということだ。この点、日本語の受身が、少なくとも発生的には、主題になる人間の直接関与しない情況との関係を述べているにすぎないのとくらべて、非常に対照的である。

実際の例についてこれを見ると、例えば「灯台が建てられる」、あるいは「オリンピックが開催される」という場合、「灯台」や「オリンピック」は、それぞれ「建てる」、「開催する」という行為の直接の対象になっている——つまり内容的には、その目的語に当たる関係にある。「説教を聞かされる」とか「恥をかかされる」などというのも、この点ではまったく変りはない。けれども日本語の受身では、特に、「彼は親に死なれた」といった自動詞の受身の場合など、「彼」は、「死ぬ」という行為の対象（目的語相当）になっているわけでは全然ない。というより、そもそも動詞が自動詞なのだから、そんなことは起こりえないのである。

しかしこれは、考えてみればごく自然のことかもしれない。というのも、英語では、すでに何度も繰り返し見てきたように、「動作主＋他動詞＋目的語」という構文が好んで用いられるけれども、受動態とはそもそも、この構文を裏返しにした表現にほかならないからである。つまり英語の、〈もの〉が〈もの〉に「働きかける」という形で概念化するという基本的な発想を、働きかける動作主を主語にする代りに、働きかけられる目的語の側から捉え、目的語を主語に置きかえて表現したのが、そもそも受動態というものにほかならないのだ。

これにたいして日本語は、これもすでに何度も繰り返してきたように、こうした「働きかけ」の軸にそって概念化するのではなく、情況全体をまるごと〈こと〉としてすくい取り、主題たる人間（ないし物）が、この情況とどんな関係に立っているかに注目し、言語化する。そして日本語の受身の表現は、能動の裏返しというよりも、すぐ前の節で見てきたように、むしろもともと、こうした関係の表現法の一つにすぎないのである。

だとすれば、英語の受動態と日本語の受身が、動作主性という点から見て、今いったような対照を示すということ——つまり、英語の受動態では、主語は動作の直接の対象になっているのに、日本語の受身では、かならずしもそうした関係にはないという事実は、われわれがこれまで検討してきた結果からして、ごく当然のことだと合点がゆくはずではないか——と、一応はそう結論できそうである。

なぜ受動態で表現するのか

しかしそれなら、当然ここで一つの疑問が湧いてくる——英語の能動態と受動態とは、言い方こそちがえ、結局、同じことを表わしているにすぎないのだろうか。しかし、そもそもちがった態で表現するということは、それなりに必然的な動機、根拠があるからではないのか。なるほどどちらも、同じく動作主性、「働きかけ」の軸にそって捉えているとはいえ、働きかける側に立って見るのと、わざわざ働きかけられる側に立って見るのとでは、当然、表現上基本的な質のちがいがあるはずではないか。文法的にいうと、能動態では動作主が、主語という特権的な位置を取っているのにたいして、受動態では by 以下という、単なる副詞句の役割しか占めてはいない。このちがいは、結局どういうことを意味するのか。

この点を考える上でまず注目しなければならないのは、実際の受動態の用例を調べてみると、by 以下が表面には出てない例が圧倒的に多いという現象である。このことは、文法学者がすでにたびたび指摘している事実だけれども、例えば江川泰一郎教授も『英文法解説』（金子書房）で、おびただしい用例をあげ、またアレン（W. S. Allen, *Living English Structure*）の所説などを引きながら、「英語の受動態の文は by〜がついてないのが原則である」ことを強調しておられる。（二六七―六九ページ）

ということは、つまり、英語は動作主性の軸にそって概念化する傾向が強いといっても、受動態の文では動作主を、少なくとも表面からは隠してしまっているわけだ。とするとその分だけ、動作主性を薄めた表現になっているといえるのではないか。

動作の受動態と状態の受動態

動作主性を薄めるといえば、もう一つ注目すべき現象がある。受動態には、動作の受動態ばかりではなく、状態の受動態というものもあるという事実だ。『英文法解説』の例を借りて説明すると、例えば――

The police say the man *was shot* when they found him, but they don't know when he *was* (=got) *shot*.

二番目の was shot は動作の受動態で、「いつ彼が撃たれたか」という普通の意味だが、最初の was shot は状態の受動態で、「撃たれていた」という状態を表わしている。この区別をはっきりつけたければ、動作の時には be の代りに get さらには become を使うことも多い。

ところで、動作主性を薄めるという点からこれを見ると、状態の受動態の場合には、動作主性は非常に低くなっていることがわかる。ほとんど be＋形容詞、ないしは自動詞で書いてあるのと変らない結果になっているのではあるまいか。例えば――

The door *was shut.*

「ドアは閉まっていた」

というのは

The door was not open.

と書いてあるのと、動作主性（あるいはむしろ「被動作性」とでもいうべきか）という点では、ほぼ同じと考えていいだろうし、また——

Venice *is built* on a number of sand islands.

「ヴェニスは、たくさんの砂地の島の上に立っている」

という例なら、この is built というのは、stands という自動詞に置きかえてもほとんど意味は変らない。逆にいえば、これを能動態に書きかえることは不可能である。つまり、これを例えば——

They build Venice on a number of sand islands.

と書きかえたりすると、動作、行動を表わすことになって、「立っている」という状態を示す表現とは、意味が変ってきてしまうのである。

こう見てくると、英語の能動態と受動態との関係は、先ほど（一九七ページ）一応の結論としてまとめたように、同じ動作主性という視点を裏返しにした表現にすぎないといった単純なものではなく、もっと本質的な差をふくんでいるらしいことがわかってくる。

英語の「なる」表現

では英語の能動態と受動態の本質的な差とは、結局どこにあるのか。

池上教授はこれを、端的に、受動態は英語における〈なる〉的な表現であると指摘しておられる。

池上教授の推論は、厳密な対照言語学的、言語類型論的手続きを取っているので、くわしく説明するとかなり面倒なことになるが、今のわれわれにとって必要な限りで、ごくかいつまんで説明するとすれば、概略こういうことである。

英語は動作主を主格に置く傾向が強いから、Xを動作主とし、Yを対格として、英語の文章の基本型を表わせば

Xガ　～スル

Xガ　Yニ　～スル

という二つの型にまとめることができる。

ところで、英語で動作主を表面上表現しないでおこうとすれば、受動態を作ればよい。そうすれば、動作主は by 以下という、副詞相当の前置詞句になって、文法的に、表に出さないですむ形に格下げできるからである。

これにたいして日本語の基本型は

Xガ（～ニ）ナル

Xガ　Xニヨッテ（～ニ）ナル

とまとめることができる。動作主表現は本質的に排除されるか、せいぜい理由、原因を示す副詞句というレベル（Yニヨッテ）で捉えられるにすぎない。（ちなみにこれはわれわれが、無生物主語の構文を訳す時の準則として、第三章で引き出した結論に対応している。八三ページ参照）

さて、この二つの基本型を対照してみれば、「XガYニ～スル」型の英語の受動態（YガXニヨッテ～ニサレル）は、「XガYニヨッテ～ニナル」型の、日本語の自動詞構文に対応していることが理解できる。（英語の受動態で、be の代りに become や get ——つまり「なる」の使われることが多いことを思い出してみるとよい）

これだけの説明では、とても十分納得することはむつかしいような気がするけれども、くわしくは『日英語比較講座』第四巻一〇五ページ以下、『〈する〉と〈なる〉の言語学』二一三ページ以下を参照していただくとして、ともかくこうした事実から、池上教授は次のような結論を引き出しておられる。

〈能動態〉と〈受動態〉という対立の本質的な意味は……出来事に関与する〈動作主〉を明示し、それに焦点を当てて〈する〉的な観点から表現するか（能動態）、あるいは〈動作主〉的なものへの言及を避けて、起こったことを全体として捉え、〈なる〉的な観点から表現するか（受動態）ということである。（『〈する〉と〈なる〉の言語学』二二六―二二七ページ）

さらにはまた――

受動態とは、〈動作主〉の概念を前面に押し出すのではなく、それらを排除しつつ、出来事の成り行き自体に重点をおく捉え方である。……能動態と受動態という対立は、論理的な観点からしばしば想定されるような、〈する〉と〈される〉という関係にその本質があるのではなくて、むしろ〈する〉と〈なる〉という関係に立つものとして捉える方が正当であろう。（同、二三三―三四ページ）

英語の共感表現

動作主性という捉え方を避け、「出来事の成り行き自体に重点をおく捉え方」——これはまさに、今までわれわれが強調してきた日本語の受身の情況論理性、さらには、日本語一般の情況密着型発想そのものではないか。ということは、つまり、英語の受動態には日本語の受身と対立する面ばかりではなく、むしろ本来、日本語の受身と相通ずる特性があり、さらには日本語全体の発想にもかなり近い特徴があるということにもなる。

しかし、だとすると、これはわれわれにとって、実にゆゆしい問題ではないか。本書の基本的なテーゼそのものにかかわる重大事である。われわれは今まで、もっぱら英語と日本語では発想がいかにちがうか、その対照の面だけを強調してきたけれども、実は両者の間には、本質的に相通ずる面もあるということになったのでは、われわれの基本的なテーゼ自体を軌道修正しなければならない羽目になってしまう。

だが実は、少なくとも受動態に関しては、日本語の受身との対照よりも、むしろ連続面を考えなければならないような現象は、困ったことに、まだこのほかにも見つかるのである。情況論理性ということと並んで、もう一つわれわれが強調してきたのは、もはや繰り返すまでもなく、共感的表現ということだった。ところがこの特徴もまた、どうやら英語の受動態にも、少なくともある程度は当てはまりそうなのである。

この章の第一節で、いろいろの受動態の訳し方を検討した時、日本語でも受身に訳してもよい（ないしは訳すべき）場合が二つあった。一つは「迷惑・被害などを表わす」時、もう一つは「欧文脈をそのまま生かす」というケースだった。あの時も、実はすでにちょっと触れておいたのだが、英語の受動態にも、日本語の受身とよく似た、「迷惑」とか「被害」とかいう、感情的ニュアンスを帯びているケースがあったのである。念のために、あの時の例をもう一度改めて読みなおしてみよう。

(a) The decent fellows are always *being lectured* and *put* out of countenance by the snobs.

「まともな人間が俗物どもにいつも説教を聞かされ、恥をかかされてばかりいる」

これをかりに能動態に書きなおしてみると――

(b) The snobs are always lecturing and putting the decent fellows out of countenance.

「俗物どもがいつもまともな人間に説教し、恥をかかしてばかりいる」

(a)と(b)とをくらべてみれば、英語の受動態でもやはり、(a)は(b)より感情的なニュアンスが強い表現になっていることがわかる。(b)は、ただ事実を事実として述べている感じが強いのにたいして、(a)の受動態では、筆者は明らかに'decent fellows'に共感する立場を取っている。いや、そもそもだからこそ、わざわざ彼らを主語の位置にすえたのである。その上で、彼らの目から情況を見て、「いかにも気の毒なことだ」という、主観的判断をくだしているのだ。

ところでこれは、すぐ前の節で日本語の「迷惑の受身」について観察したのと、そっくり同じことではないか。だとすれば、英語の受動態は、この共感表現という点でもまた、日本語の受身と共通する面があると考えざるをえなくなる。

似かよった発想

ところで、英語の受動態を訳すのに、日本語でも受身にすべき場合として、もう一つ、「欧文脈を生かす」というのがあったけれども、このケースについて考えてみてもやはり、受動態と受身との連続性、親近性という、同じ結論が出てくるのではないかと思う。

実はこの訳し方を論じた時、われわれは一つの宿題を出しておいた。つまり、例えば

「何が彼女をそうさせたか」といった無生物主語の構文は、日本語に直訳すると今でもかなり違和感が強いのに、受動態の訳の場合は、例えば「オリンピックは四年ごとに開催される」という表現など、少なくとも今ではほとんど違和感がない――というより、むしろほかに適当な表現が思いつかないが、いったいこの差は、どういう理由によるのかという問題である。

けれどもこれも、この節で見たように、英語の受動態というものが、動作主性を薄めた表現であって、その意味では、日本語の情況論理的発想に近いという事実からすれば、おのずから答えの出てくる問題だということがわかるだろう。

無生物主語の構文というのは、動作主性の軸にそって情況を解析し、概念化してゆくという英語の発想の特徴が、本来は動作主にはならないはずの無生物にまで拡大され、もっとも鮮烈に発揮されるケースである。当然、情況密着型、没動作主的発想の日本語とは、いちばんギャップの大きくなるケースであって、だから、直訳によってあえてこの裂け目を無理に乗りこえようとすれば、強い違和感が生じざるをえないのである。

これにたいして受動態は、英語の中でもわざと動作主性を薄めた〈なる〉的表現――つまり、日本語的発想にずっと近くなったケースである。だとすれば、無生物主語の構文などより日本語に同化されやすいのは、けだし当然のことではないか。

もう一つ、日本人の書く英語には、必要以上に受動態が多用されるということがよく指摘されるけれども、これなども、受動態が日本語の発想と親近性があるという事実を、また別の面から例証してくれるものであるかもしれない。

受身表現のパラダイム

さて、今までこの章で観察してきたことを改めてふり返ってみると、英語の受動態と日本語の受身には、ある部分では確かにくいちがう面もありながら、しかし同時にまた、本書の基本的なテーゼとは矛盾するとしても、やはり否定できない事実として、大いに重なりあう共通の面もあることがわかった。ここでなんとか、こういういろいろの場合をトータルに捉え、しかるべく位置づける枠組、パラダイムのようなものを発見して、この章を締めくくることはできないものだろうか。

実は牧野成一氏は、すでにわれわれが何度も援用した『ことばと空間』の第七章で、日本語と英語を問わず、およそ受身的表現に共通の「機能の特性の束」を定義しておられる。今のわれわれにとって、この牧野氏の定義は恰好の枠組を提供してくれそうに思える。

牧野氏が、一般に受身の共通の特性として挙げておられるのは、次の五つの点である。(一八三—一八四ページ)

(1) 人間の主語（あるいは隠された主体）に、ある状態・行為が外から一方的に存在するようになり、その主語（主体）にはどうしようもないと話者（書き手）に認識される事態を表わす。

(2) 主語が人間の時、普通の主語〔つまり能動態の時の主語〕以上に、話者・聴者はそれに一体感を持つ。主語が無生物の時は、話の焦点になる。

(3) 行為者（〜によって、by〜）はあっても存在が弱く、なくても一向に構わない。それだけに、表現が間接的である。

(4) 元の〔能動態の〕動詞は非状態動詞〔つまり行為を表わす動詞〕で、人間が制御可能な意味内容を持っているが、受身になった動詞句は、状態を表わす自動詞としての性格が強い。

(5) 狭義の受身を形成する助動詞は、be/become, receive/get など、存在・変化・獲得を表わす本動詞の転用が多い。

一読して気がつくように、この五項目には、今までわれわれがこの章で見てきた結果と、いちいち符合する点が多い。以下、本章の観察の結果とつきあわせながら、簡単にコメントを加え、確認しておくことにしよう。

重なり合う受身表現

まず(1)の、外から一方的にある状態や行為が主体に加えられるということ、同時にまた受身の表現は、こうした主体と情況との関係について判断を示した表現だという点だが、これが今まで、受身の情況性・主観性といった言い方でわれわれの観察してきた結果とぴったり一致することは、すでに説明を必要としないだろう。

なるほど、この要件がいちばん典型的に当てはまるのは日本語の受身、なかんずく自動詞を使った「迷惑」「受益」の受身であって、英語では自動詞の受動態は作れないという事実はある。けれども、確かに狭義の受動態の形式ではないが、しかし英語でも、例の「have＋目的語＋過去分詞（または不定詞）」の形を使えば、日本語の「迷惑の受身」に非常に近い表現は可能である。例えば、牧野氏の挙げておられる例文を借用すれば――

太郎は弟にお菓子を食べられた。
Taro had his cake eaten by his brother.
太郎は五つの時、母に死なれた。
Taro had his mother die on him when he was five.

形式ではなく、意味や機能という点から見る限り、これもやはり受身と呼ばざるをえないだろうし、そしてこれを受身と認めるのなら、日本語の受身と英語の受身は、かならずしも相対立するだけではなく、むしろおたがいに連続していることがわかるだろう。

さて(2)の「一体感」の問題だが、これが、われわれがしきりに強調した日本語の受身の共感性、ないし情意性とぴったり一致することもまた、今さら説明の必要はあるまい。同時に英語の受動態についてもまた、少なくともある種の場合、例えば「説教を聞かされる」とか、「恥をかかされる」の例で見たとおり、この共感性、情意性という特徴は現われる。この面でもまた、日本語の受身と英語の受動態とは、少なくとも部分的には重なりあうと結論せざるをえない。

(3)の、行為者が往々にして表から姿を消すという点は、われわれが英語の受動態について、「動作主性が薄まる」と考えたポイントである。

もう一つ、「表現が間接的になる」という点についても、英語の受動態でいうと、例えば――

(a)　Enough has been said here of this subject.

という受動態の文のほうが

(b) I have said here enough of the subject.

と能動態でいうよりも間接的で、丁寧な表現だということがある。丁寧といえば、日本語の「レル・ラレル」が、受身と同時に敬語として使われるのは、牧野氏もいわれるとおり、やはりこの「間接性」に関連があるにちがいない。

次に(4)の「自動詞的性格」ということだが、本来、自動詞的性格の強い（動作主性の低い）日本語についてはもちろん、英語でも、すでに池上教授も指摘しておられたとおり、受動態では自動詞相当の表現になることは、われわれもすでに確認したところだ。第一、受動態の訳し方を検討した中で、日本語では自動詞に置きかえる工夫が有効に使えるということは、われわれが経験的に引き出した結論の一つだったはずである。

そして最後に(5)の、英語の受動態を作る助動詞は be, become, get などであるという点についてはどうかといえば、これもまた池上教授の指摘を借りてわれわれも観察した現象だった。つまり受動態の本質は、本来は〈する〉型の英語の中で、〈なる〉的な表現を作り出すところにあるという、あの結論にほかならない。

劇的現在

以上、牧野氏の枠組を借りて、これまでこの章で見てきたことを整理、確認してみたわけだが、こうしてみると、日本語の受身と英語の受動態とは、部分的に少しずつズレはあるものの、基本的にはむしろ、おたがい共通し、重なりあう面のほうが大きいことが明らかになってきたようである。

しかし、だとすると、先ほども触れたとおり、基本的な軌道修正の必要がやはりありそうに思えてくる。つまり今まで本書では、もっぱら日本語と英語の表現・発想の対立面ばかり強調する傾向があったけれども、実はそれと同時に、共通性、連続面にも注目しなければならないのではないかという疑問である。最後に、やはりこの問題になんとかケリをつけておかねばならない。

けれどもこれは、一見してそう思えるほど、唐突な方向転換では実はないのだ。前の章で話法を検討した時にも、すでに似たような問題は出てきていたのではなかったか。つまり、「描出話法」の問題である。確かに英語は一般に、日本語よりは客観的な間接話法が得意である。しかしそんな英語にも、日本語の情況的・共感的な「中間話法」にかなり近い技法として、「描出話法」というものがすでに立派に確立している。日英語の連続性ということは、すでに話法についても確かに存在していたのである。

もう一つ、前の章では触れる機会がなかったけれども、時制に関してもやはり、英語でも「劇的現在」(Dramatic Present) という手法がある。日本語の時制は主観的で、過去の物語の中にも自由に現在形を混用し、共感性を高めるということをわれわれは見たのだったが、英語でも、なるほど日本語ほど融通無礙《むげ》ではないにしても、同じように過去の描写に現在形を混用し、劇的に臨場感を高める技法はけっしてめずらしいものではない。これが「劇的現在」だが、してみると時制についてみてもまた、日本語と英語のあいだには、対照と同時に連続、共通の面もあるわけだ。

再び「もの」と「こと」について

そういえば、第三章で使役表現を考えた時にもやはり、実は似たような現象を見たことが思い出される。あの時、われわれは池上教授の図式を借りて、〈使役主〉と〈被使役者〉とのあいだの力関係を、「次郎ヲ行カセタ」から「次郎ニ行カレタ」まで、一種のスペクトルの形で整理した。そして、日本語はこのスペクトルのあらゆる面に表現が分布しているのにたいして、英語の使役表現は歴史的に、〈使役主〉の力が最大になる方向に集中してきたことを観察した。

だがあの時われわれの見たことは、今、受身について見たことと、結局同じ意味をもっているることが理解できるのではあるまいか。つまり使役にしろ受身にしろ、日本語の表現・発想と英語の表現・発想とは、おたがいにまったく対立するのでも、非連続の関係にあるものでもなく、むしろ、いわば表現の同じスケール（目もり）ないしはスペクトルのうち、日本語はどちらの側に片よるか、英語はどのあたりに集中するか、要するに、その度合い、偏差のちがいと理解すべきではないかということである。

いや、それをいうなら、実は、英語は〈もの〉に注目し、〈もの〉の〈もの〉への「働きかけ」という、動作主性の軸にそって概念化し、言語化するのにたいして、日本語は情況を〈こと〉としてまるごとすくい取る――つまり非・概念的な情況論理的性格を特徴とするという、本書全体の基本的な命題についてさえ、われわれ自身、これがかならずしも相互に相容れない対立の関係にあるのではなく、むしろ連続の面において捉えるべき関係にあるということは、すでに認めたことがあったのである。

第二章の終わりに近く、私は実はこんなことを書いている。読者はおそらくもうお忘れになっていると思うから、自分が同じこの本の中に書いたことを、自分でまた引用するというのもいかにも悪趣味にはちがいないのだけれども、あえてもう一度ここに引いてみることにする。

どうやら〈もの〉的な捉え方と〈こと〉的な発想というのは、おたがいにまったく異質の、相対立する関係にあるというよりは、むしろ、ある出来事なり情況なりを言語化する際、どの程度に抽象化し、概念化するかという、その度合いのちがいによって出てくる差なのではないかと思えてくる。つまり、いっぽうは〈もの〉に注目して〈こと〉を捨て、他方は逆に〈こと〉を取って〈もの〉は顧みないというのではなく、むしろ、〈こと〉をある方向へ概念化し、抽象化し、ないしは分節化してゆくと、〈もの〉と〈もの〉との関係として〈こと〉を捉える捉え方に到達するということなのではないのだろうか。（七三―七四ページ）

そして、この「ある方向へ」というのが「動作主性」の軸にそってであり、「〈もの〉と〈もの〉との関係」とは、つまりは「働きかけ」の関係として規定できるのではないかというのが、次の第三章のテーマだったわけである。

連続という大前提

確かに今まで本書では、対照言語学的に、日本語と英語の表現・発想のちがいを浮かび上らせるというそもそもの狙いからして、その差がいちばん鮮明に現われる面だけに特に注目し、もっぱらその相違のありか、その性質を明らかにすることを試みてきた。そして実際、このギャップを乗り越えるには、往々にしてかなり基本的な発想の転換が必要であるからこそ、いっぽうではまた翻訳読本としてという、本書のもう一つの狙いにも、それなりの意味がありえたのである。

けれども最後に、やはりこれだけは言っておかなければならない。どれほど異質であろうとも、日本語も英語も、しょせんは人間の言葉である。まったく非連続であるはずはない。相違と同時に共通の面も実は大いにあることを忘れては、全体についての判断のバランスを失い、木を見て森を見ないどころか、下手をすれば、妙にゆがんだ言語的国粋主義に陥る危険さえなくはない。いや、それより何より、もしかりに、日本語と英語が完全に非連続であるのなら、そもそも比較対照するということ自体が無意味だろうし、第一、はじめから翻訳などという操作すら不可能なはずではないか。われわれが今まで追求してきた対比というのも、実は、この基本的な連続という大前提の上に立って、はじめて意味をもつことだったのである。最後に、この巨視的な大前提を再確認して、本書を閉じたい。

文庫版あとがき

あくまでも翻訳の現場からという出発点を見失なわず、翻訳の具体的なプロセスを注意深く点検し、基本的な構文上、どんな転換が必要となるか検証することを通じて、そこから英語、日本語それぞれの発想の特質を探り出してみようという、基本的には本書と同じ狙いから、実は私は三冊の小さな書物を書いている。一冊目は、一九八二年、バベル・プレスから出した『翻訳英文法』で、現在は本書同様、「ちくま学芸文庫」に収められているけれども、江川泰一郎教授の『英文法解説』をテキストに、英文法にかかわるあらゆる項目にわたって、おびただしく挙がっている例文を片端から訳してゆき、構文上、なんらかの基本的な変換の必要なケースを遂一洗い出して、翻訳上、どう処理すべきか検討してみたのだった。

二冊目は翌八三年、大修館書店から、「スタンダード英語講座」の第二巻として書きおろした『日本文の翻訳』で、『翻訳英文法』とは逆に、今度は日本語を英語に訳す場合に視点を移し、サイデンステッカー教授が、谷崎、川端、あるいは三島由紀夫など、日本の文学作品を英訳された訳文を、原文と細かく比較、対照して、主語、時制、話法、受動態など、日英語のちがいが特に鮮明に現われるポイントを選び出し、分析してみた。

こうしたデータの蒐集、吟味の上に立って、日英語の発想の相違を、多少とも対照言語学的なアプローチを取りこみながら、しかし、あくまで実践的な翻訳論という枠組の中に踏みとどまって、できる限り理論面を展開し、解明を試みたのが本書である。ほんのささやかな三部作の、一応の完結篇といえるだろうか。

そんなわけで、特に愛着の深い小著だけに、今度こうして、「ちくま学芸文庫」に採りあげられることになったのは、著者として、ことのほか大きな喜びだった。酷暑の中、新しい校正刷を読み返しながら、かつて本書を書きおろした時、なんとか英語、日本語の本質を的確、明快に探り当てたいと、必死に論理の道筋をつむぎ出そうともがいていた当時の熱気が、二十年に近い歳月をへだてて、なまなましくよみがえってくるのを覚え、いささかの感慨を催さざるをえなかった。

親本の編集を担当して下さった講談社の堀越雅晴氏、今回、文庫版の編集にあたって下さった筑摩書房の渡辺英明さんに、この場を借りて、改めてお礼を申し述べて筆を擱きたい。

二〇〇〇年八月

安西徹雄

本書は一九八三年三月二〇日、講談社より刊行された。

ちくま学芸文庫

英語《えいご》の発想《はっそう》

二〇〇〇年十一月八日　第一刷発行
二〇一八年　九　月二十日　第十三刷発行

著　者　安西徹雄（あんざい・てつお）
発行者　喜入冬子
発行所　株式会社　筑摩書房
東京都台東区蔵前二―五―三　〒一一一―八七五五
電話番号　〇三―五六八七―二六〇一（代表）
装幀者　安野光雅
印刷所　中央精版印刷株式会社
製本所　中央精版印刷株式会社

ISBN4-480-08588-2 C0182